Planetino 1

Deutsch für Kinder

Lehrerhandbuch

Siegfried Büttner
Gabriele Kopp
Josef Alberti

Hueber Verlag

Abkürzungen:

S	=	Schülerinnen und Schüler
L	=	Lehrerinnen und Lehrer
HP	=	Handpuppe
AB	=	Arbeitsbuch
LHB	=	Lehrerhandbuch

Wenn im Text ab und an aus Platzgründen nur von „Lehrer" oder „Schüler" die Rede ist, so impliziert dies selbstverständlich immer die weibliche Form und stellt keine Wertung dar.

Hinweis:

Die Begriffe Memory, Walkman und Gameboy sind eingetragene Marken der Firmen Ravensburger (Memory®), Sony (Walkman®) und Nintendo (Gameboy®). Aus diesem Grund sind sie in Kursbuch, Arbeitsbuch und Lehrerhandbuch mit dem Zeichen für „Registered Trademark" gekennzeichnet (®). Diese rechtliche Maßnahme ist jedoch für die Schülerinnen und Schüler nicht relevant.

7.	6.	5.		Die letzten Ziffern
2020	19	18	17	16	bezeichnen Zahl und Jahr des Druckes.

Alle Drucke dieser Auflage können, da unverändert, nebeneinander benutzt werden.
1. Auflage
© 2009 Hueber Verlag GmbH & Co. KG, 85737 Ismaning, Deutschland
Redaktion: Maria Koettgen, Kathrin Kiesele, Hueber Verlag, Ismaning
Umschlagillustration: Hueber Verlag/Bettina Kumpe
Layout: Lea-Sophie Bischoff, Hueber Verlag, Ismaning
Satz: Lea-Sophie Bischoff, Hueber Verlag, Ismaning
Zeichnungen: © Hueber Verlag/Bettina Kumpe
Fotos: © Hueber Verlag/Alexander Keller
Druck und Bindung: Kessler Druck + Medien GmbH & Co. KG, Bobingen
Printed in Germany
ISBN 978-3-19-321577-2

Art. 530_00266_001_05

Inhalt

Inhalt

Spielen und so weiter

Theater: Der König und das Gespenst

Feste im Jahr

Tests

Anhang

Einführung

Zielgruppe

Das Lehrwerk *Planetino* richtet sich an acht- bis elfjährige Kinder ohne Vorkenntnisse der deutschen Sprache. Die Kenntnis der lateinischen Ausgangsschrift wird vorausgesetzt.

Ziel ist es, den Kindern eine authentische, kindgemäße Sprache zu vermitteln. Sie lernen, alltägliche Situationen beim Spielen, in der Familie, in der Schule, mit Freunden usw. in sprachlich einfacher Form zu bewältigen.

Planetino und der Gemeinsame Europäische Referenzrahmen

Planetino orientiert sich konsequent am Gemeinsamen Europäischen Referenzrahmen. Das Lehrwerk vertritt einen handlungsorientierten Ansatz und will die Kinder befähigen, kommunikative Aufgaben sprachlich zu bewältigen. *Planetino* führt in drei Bänden zur Niveaustufe A1 und bereitet auf die Prüfungen der Niveaustufe vor. Dabei werden die Wortliste und alle Grammatikphänomene abgedeckt, die für die A1-Prüfung relevant sind.

Im Gemeinsamen Europäischen Referenzrahmen spielen autonomes Lernen und Selbstevaluation eine wichtige Rolle. Dementsprechend vermitteln die Kursbücher von Anfang an kindgerechte Lernstrategien. Die Kurs- und Arbeitsbücher enthalten zahlreiche Übungen, bei denen die Kinder anhand von Lösungswörtern oder Rechenrätseln ihre Ergebnisse selbst überprüfen können. Die Arbeitsbücher bieten nach jedem Modul eine Doppelseite zur Selbstevaluation an. So wird eigenständiges Lernen von Anfang an gefördert, und ein Bewusstsein für den Lernfortschritt entwickelt sich.

Auch der **Portfolio**-Gedanke wird konkret umgesetzt: Im Kursbuch gibt es Aufgaben und Anregungen zu kleinen Projekten meist kreativer Art, die im Dossier abgeheftet werden können. Das Arbeitsbuch enthält eigene Portfolio-Seiten zum Heraustrennen und Abheften. Im Lehrerhandbuch finden sich weitere Vorschläge dazu.

Aufbau des Lehrwerks

Für die Lernenden gibt es:
- ein Kursbuch in drei Bänden
- ein Arbeitsbuch zu jedem Band

Für die Lehrenden gibt es:
- ein Lehrerhandbuch zu jedem Band
- Audio-CDs zu jedem Band

Zusatzmaterial gibt es im Internet unter *http://www.hueber.de/planetino*.

Planetino 1

Aufbau des Kursbuchs

Das Kursbuch enthält fünf Module/Themenkreise, die in jeweils vier kurze Lektionen gegliedert sind.

Vorgeschaltet ist eine Lektion mit dem Titel „Start frei", in der über Internationalismen, das Alphabet und die Zahlen 1–12 ein erster Kontakt mit der deutschen Sprache hergestellt wird.

Jedes Modul beginnt mit einer Einstiegsseite, die anhand von Comics in das Thema des Moduls einführt. Jedes Modul wird mit der Seite „Das kann ich schon" abgeschlossen, auf der die wichtigsten gelernten Redemittel, der Wortschatz und die Grammatik zusammengefasst sind. Dabei wird bewusst – wie im gesamten Lehrwerk – auf grammatische Terminologie verzichtet. Grammatik wird dieser Altersstufe entsprechend nicht über Regeln, sondern durch vielfachen Gebrauch und ständige Wiederholung in neuen Situationen geübt und gefestigt.

An die fünf Module schließt sich ein Theaterstück an. Der erste Teil (A–B) gehört zum obligatorischen Lehrgang, während die Vorbereitung und Aufführung des Theaterstücks (C–F) zwar sehr empfohlen wird, letztlich aber der Lehrkraft überlassen bleibt.

Den Abschluss von *Planetino 1* bildet die Lektion „Feste im Jahr", eine Sonderlektion ohne sprachliche Progression, die in Form von Liedern, Fotos und Bastelanleitungen landeskundliche Informationen zu Festen im deutschsprachigen Raum bietet. Die einzelnen Teile dieser Lektion sollte der Lehrer entsprechend dem jahreszeitlichen Anlass in den Unterricht einbauen.

Eine chronologische Wortliste mit dem vollständigen aktiven und passiven Wortschatz informiert über das jeweils neue Sprachmaterial. Ein Spielplan für ein Würfelspiel mit Ereigniskarten, genannt „Ein Spiel für alle Fälle", schließt das Kursbuch ab.

Inhalte des Kursbuchs

Kinder dieses Alters wollen über sich selbst reden, über ihre Spiele, ihre Freunde, die Familie, die Schule usw. Daran orientiert sich die Auswahl der Inhalte von *Planetino*. Themen, die darüber hinaus für die A1-Prüfung relevant sind, finden ebenso Berücksichtigung. Die Themen sind in authentischen altersgemäßen Situationen und Texten aufbereitet.

Landeskunde

In der progressionsfreien Lektion „Feste im Jahr" wird Landeskunde explizit dargestellt. Hier erfahren die Kinder, welche Feste deutschsprachige Kinder feiern, was sie zu diesen Festen basteln und singen. Darüber hinaus wird in vielen anderen Lektionen Landeskunde implizit über Situationen, Illustrationen und in Dialogen vermittelt.

Interkultureller Ansatz

Gerade in unserer globalisierten Welt ist es wichtig, schon bei Kindern ein Verständnis für andere Nationalitäten und Kulturen zu entwickeln und bei ihnen Toleranz für Minderheiten zu wecken. Hier findet *Planetino*, ein Kind von einem anderen Planeten und Namensgeber des Lehrwerks, seine Rolle. Sporadisch greift diese irreale Figur in die Handlungsabläufe ein und wird in ihrer Andersartigkeit ohne Probleme akzeptiert.
Viele Themen wie zum Beispiel Kinderspiele, Familie, Schule, Einkaufen und natürlich die Feste im Jahr regen zur Diskussion und zum interkulturellen Vergleich an.

Fächerübergreifende Aspekte

Die Themen und Inhalte in *Planetino* sind auf ein ganzheitliches Lernen, auf ein Lernen mit allen Sinnen hin angelegt. Den Bedürfnissen der Kinder entsprechend werden Spiel, Bewegung, Aktion, Reim und Rhythmus in den Unterricht einbezogen. So eignen sich viele Themen zur Integration anderer Fächer.
Im Mathematikunterricht können im Zahlenraum bis 20 einfache Rechenoperationen auf Deutsch durchgeführt werden. Im Musikunterricht können die Lieder mit einfachen Instrumenten begleitet werden. Viele Bewegungsspiele können im Sportunterricht eingesetzt werden. Im Kunstunterricht können Bildkarten hergestellt und Bastelarbeiten durchgeführt werden.
Insbesondere bei der Vorbereitung und Aufführung des Theaterstücks bietet sich eine intensive Zusammenarbeit von Deutsch-, Musik- und Kunstlehrer an.

Audio-CD

Die drei Audio-CDs enthalten alle Hörtexte und Dialoge, die Übungen zur Aussprache, die Lieder des Kursbuchs mit einer Playback-Fassung zum Nachsingen sowie das komplette Theaterstück.

Das Arbeitsbuch

Das Arbeitsbuch folgt dem Aufbau des Kursbuchs. Jedes Modul beginnt auch hier mit einer Einstiegsseite, die das Thema inhaltlich und sprachlich vorentlastet. Zu jeder Lektion gibt es Übungen zur Einzel- und Partnerarbeit im Unterricht oder als Hausaufgabe. Alle Übungen sind dem Kursbuch exakt zugeordnet. Um ein binnendifferenziertes Arbeiten zu erleichtern, sind die Übungen mit verschiedenen Piktogrammen versehen, die ihre Schwierigkeit kennzeichnen.

Jedes Modul wird durch die folgenden Teile abgeschlossen:

• „Weißt du das noch?"
Auf dieser Seite wird Stoff aus früheren Lektionen wiederholt.

• chronologische Wortliste
Die Wortliste zu jedem Modul umfasst den aktiven Wortschatz, also die Wörter, die die Kinder lernen und am Ende beherrschen sollen. Sie ist nicht als bloße Übersicht zu sehen, sondern soll dazu verwendet werden, die in jedem Modul gelernten Wörter zu wiederholen, zu festigen und in neuen Situationen anzuwenden.

• „Das habe ich gelernt"
Inhalt dieser beiden Seiten sind Wortschatz und Redemittel des gerade abgeschlossenen Moduls. Ziel ist die Selbstevaluation, d.h. eine Selbsteinschätzung des eigenen Lernfortschritts. Die Seiten können herausgetrennt und in das **Portfolio** abgeheftet werden. Im Vorwort zum Arbeitsbuch werden ausführliche Vorschläge für die Bearbeitung dieser Seiten gemacht.

• „Grammatik-Comic"
Diese Seite konzentriert sich auf ein zentrales Grammatikphänomen des Moduls. Auch sie kann für das **Portfolio** herausgetrennt und dort abgeheftet werden.

Organisation des Unterrichts

Im Mittelpunkt des Unterrichts steht die Eigentätigkeit des Schülers. Der Lehrer führt neues Sprachmaterial ein und zieht sich dann allmählich auf die Position des Helfers zurück, der steuernd und unterstützend eingreift, wo es nötig ist. Dabei hat sich als Helfer und Assistent des Lehrers der **Einsatz einer Handpuppe** sehr bewährt (die Anleitung zum schnellen Basteln einer Socken-Handpuppe findet sich im Anhang dieses Buches auf S. 132; im Internet gibt es unter *www.hueber.de/planetino/handpuppe* die Bastelanleitung für eine Planetino-Handpuppe aus Filz). Da neues Sprachmaterial oft über Dialoge eingeführt wird, dient die Handpuppe dem Lehrer als zweiter Sprecher. Sie kann Mensch oder Tier sein, spricht nur Deutsch und muss so geführt werden, dass sie auf etwas zeigen und Gegenstände greifen und festhalten kann. Der Lehrer sollte als Stimme der Handpuppe in natürlicher Stimmlage sprechen, also keinesfalls verzerrt. Nach der Einführung übernehmen in der folgenden Übungsphase die Schüler gern die Rolle der Handpuppe. Insbesondere schüchterne Kinder verlieren beim Führen der Handpuppe ihre Ängste, denn nun sprechen ja nicht sie selbst, sondern die Handpuppe. Und Fehler macht jetzt die Handpuppe, nicht der Schüler. Der Anregung, eine eigene Handpuppe mitzubringen, werden wohl alle Kinder gern nachkommen. Sie ist dann Dialogpartner in der Klasse und vor allem auch zu Hause. Im Lehrerhandbuch werden immer wieder Vorschläge zur Arbeit mit der Handpuppe gemacht, zum Beispiel bei der Einführung von Wortschatz und bei der Demonstration von Übungsspielen.

Die Übungen und Spiele können von den Schülern in Partner- oder in Gruppenarbeit durchgeführt und oft auch selbst kontrolliert werden. Oft sind Hilfen eingebaut, um zu vermeiden, dass zu viele Fehler gemacht werden – so zum Beispiel die Farbpunkte als visuelle Hilfe beim Einüben der Artikel. Das Fehlermachen ist jedoch ein natürliches Phänomen und ein Teil des Lernprozesses. Der Lehrer sollte den Kindern diese Einstellung unbedingt vermitteln und ihnen so die Angst vor Fehlern nehmen. In einem angstfreien Lernumfeld sind Motivation und Lernerfolg größer.

Die Schüler sollten das Material für Übungsspiele, wie zum Beispiel Bild- und Wortkarten, selbst herstellen. So entsteht ein persönlicher Bezug zu dem Übungsmaterial, der Motivation und Lerneffekt verstärkt. Besonders die Bild- und Wortkarten sollten in der Klasse immer für **Freiarbeitsphasen** bereitstehen.
Arbeitsphasen in der Gruppe bieten sich als eine gute Möglichkeiten zur **Binnendifferenzierung** an. Der Lehrer kann mit schwächeren Schülern arbeiten, während bessere Schüler die Übungen selbstständig durchführen. Oder die Partnerarbeiten werden so organisiert, dass der bessere Schüler dem schwächeren hilft. Im Lehrerhandbuch werden immer wieder Vorschläge zur Differenzierung gemacht.

Sprache im Unterricht

Die Redemittel sind so gewählt, dass die Schüler von den ersten Stunden an in einfacher Form auf Deutsch miteinander kommunizieren können.

Es ist aber besonders wichtig, dass sie von Anfang an möglichst viel Deutsch hören. Deshalb sollte die Unterrichtssprache im Wesentlichen Deutsch sein. Wenn der Lehrer die Arbeitsanweisungen, die ja meistens in jeder Unterrichtsstunde wiederholt werden, durch Mimik und Gestik unterstützt, werden die Schüler sehr schnell den Sinn verstehen. Und sie werden bald sehr stolz darauf sein, dass sie immer mehr verstehen und richtig reagieren können. Wie oft bei Erklärungen die Muttersprache eingesetzt werden muss, bleibt dem Fingerspitzengefühl des Lehrers überlassen.

Ein kleines Wörterbuch der Unterrichtssprache:

Begrüßung und Verabschiedung:

Guten Morgen / Guten Tag / Hallo / Auf Wiedersehen / Tschüs, Kinder.

Im Unterrichtsablauf:

Alle zusammen.
Bist du fertig? – Bitte alles einpacken.
Die Deutschstunde ist zu Ende.
Fang(t) an.
Geh bitte auf deinen Platz. – Geht wieder auf euren Platz.
Hör(t) genau zu.
Ihr seid Gruppe … – Ihr spielt zusammen.
Komm bitte an die Tafel.
Leg(t) bitte das Buch auf/unter den Tisch. – Lies/Schreib bitte. – Lies bitte laut.
Mach(t) bitte das Buch/Heft auf/zu. – Mach bitte die Tafel sauber. – Mach bitte das Fenster / die Tür auf/zu.
Nimm/Nehmt bitte den Bleistift / das Buch / das Heft / … (heraus)
Noch einmal, bitte. – Nicht so laut, bitte.
Teil(t) bitte die Hefte/Bücher/… aus.
Und jetzt die Hausaufgabe.
Sprich/Sprecht genau nach. – Schau(t) das Bild an. – Seid bitte leise.
Schreibt die Hausaufgabe auf. – Stellt euch nebeneinander/hintereinander/zu zweit auf.
Wir singen/schreiben/lesen/malen/ … jetzt. – Wiederhole bitte. – Wer ist schon / noch nicht fertig?
Zeig(t) bitte …

Methodische Erläuterungen

1. Allgemeine methodische Erläuterungen

Die dem Lehrwerk zugrunde liegende Methode orientiert sich an der psychologischen Disposition der Kinder dieser Altersstufe: Sie lernen mit allen Sinnen, haben viel Bewegungsdrang, sind begeisterungsfähig, verfügen aber meist über wenig Ausdauer. In Planetino gibt es daher vielfältige Aufgaben und Übungsformen, die ein Lernen mit allen Sinnen ermöglichen und für Abwechslung im Unterricht sorgen. Spiele, Reime und Lieder wechseln mit Partner- und Gruppenarbeit und der szenischen Darstellung von Dialogen ab und fördern das interaktive Lernen. Die Herstellung von Bildkarten und Bastelaufgaben sprechen das Haptische an und fördern die Konzentration, und ein Theaterstück gibt Anreiz zum Einstudieren und Aufführen eines in sich abgeschlossenen deutschen Textes. Die lustigen Comics der Einstiegsseiten wirken identifikationsbildend und fordern die Kinder zum Mitmachen auf. Dank dieser Vielfalt ist gewährleistet, dass alle Kinder einer Klasse angesprochen werden und „für jeden etwas dabei" ist.

2. Spezifische methodische Hinweise zu den Fertigkeiten

Die Fertigkeiten Hören, Sprechen, Lesen, Schreiben können nicht separat, sondern nur im Verbund miteinander vermittelt werden. Nur was der Lerner einer Fremdsprache richtig gehört hat, kann er auch richtig sprechen, nur was er als Schriftbild gelesen hat, kann er richtig schreiben. Dabei stehen im Anfangsunterricht das Hören und Sprechen im Vordergrund, das Lesen in sich geschlossener Texte und das Schreiben eigener Texte bauen darauf auf. Dies gilt besonders für den Unterricht mit Kindern, die das Bedürfnis haben, selbst aktiv zu sein, sich zu artikulieren.

2.1 Hören

Von Anfang an werden auf der CD Übungen zum Hörverstehen angeboten; dabei sollen die Kinder auf Anweisungen reagieren oder sich mit komplexeren Hörgeschichten auseinandersetzen, indem sie Fragen beantworten, Aussagen richtigstellen oder entsprechende Bildfolgen ordnen. Es ist wichtig, von Anfang an deutlich zu machen, dass es durchaus nicht immer nötig ist, die Hörgeschichten in allen Einzelheiten zu verstehen. In den meisten Fällen geht es zunächst um ein globales Verstehen der Texte. Die Kinder lernen, Vor- und Zusatzinformationen – seien es Bilder, seien es Geräusche – zu nutzen, um auf den Inhalt zu schließen. Je nach Aufgabenstellung werden Strategien zum *Globalverstehen* (= Heraushören von Kernaussagen, grobes Verständnis des Gehörten) und zum *Detailverstehen* (= Heraushören von Details und Einzelheiten, genaues Verständnis der Gesamtaussage) entwickelt. Auch das *selektive Hören* (Heraushören bestimmter Informationen) wird angebahnt.

2.1.1 Vorschläge zum Erarbeiten von Hörgeschichten:

- zur Vorentlastung Bild/Bilder ansehen und über die Situation sprechen
- den Text ganz hören und auf Geräusche achten
- den Text in Abschnitten hören
- den Text hören und auf den Bildern die Personen / den Handlungsablauf mitzeigen
- den Text hören und dazu pantomimisch reagieren
- je nach Aufgabenstellung
  - eine Aufgabe lesen, den Text hören, die Aufgabe beantworten usw.
  oder
  - alle Aufgaben lesen, den Text hören, stoppen, sobald eine Aufgabe beantwortet werden kann usw.
  - die begleitende Bilderfolge kopieren, den Text hören und die Bilder in der richtigen Abfolge an die Tafel heften
  oder
  - den Text hören und einzeln oder in Partnerarbeit die Bilder sortieren
- Fragen zum Textverständnis:
  - durch den Lehrer
  - durch die Schüler, auch als Gruppenwettkampf
  - durch die Schüler in Partnerarbeit

2.1.2 Anbahnen des selektiven Hörens über das Heraushören von Schlüsselwörtern:

- „Platzwechselspiel" (Heraushören von Schlüsselwörtern üben): Die Klasse steht im Kreis; der Lehrer nennt immer zwei sich gegenüberstehenden Schülern dasselbe Schlüsselwort aus der Geschichte; den Text hören oder vorlesen; jeweils die beiden gegenüberstehenden Schüler tauschen ihren Platz, wenn sie ihr Wort hören.
- Schlüsselwörter auf Karten schreiben; jeder Schüler hat alle Karten vor sich liegen. Den Text hören; jeder Schüler hält die entsprechende Karte hoch, wenn das Wort im Text genannt wird.

2.2 Sprechen

Neue Redemittel werden häufig durch Dialoge eingeführt und über beigefügte Varianten geübt (*„Spielt die Szene auch so: … – Ebenso mit … – Sprich auch so: … "*). Alle Dialoge sind auf der CD enthalten. Es ist wichtig, dass sie vor dem Nachsprechen intensiv gehört werden, damit sich das Klangbild einprägen kann, und sie sollten auch nach dem Nachsprechen zur Kontrolle gehört werden.

Von Anfang an sollte auf eine phonetisch korrekte Aussprache großer Wert gelegt werden, denn sie ist für das Funktionieren der Kommunikation sehr wichtig. Ein grammatischer Fehler wird von einem Muttersprachler im Kopf blitzschnell richtiggestellt und behindert das Verstehen nicht entscheidend. Fehler in der Aussprache können dagegen das Verstehen sehr beeinträchtigen. Und haben sich solche Fehler erst einmal verfestigt, ist es sehr mühsam, sie nachträglich zu korrigieren.

2.2.1 Vorschläge zum Erarbeiten der Dialoge

- den Dialog hören, dabei das Bild ansehen
- den Dialog hören und still mitlesen
- den Dialog hören und auf die jeweiligen Sprecher/Gegenstände im Bild zeigen
- den Dialog satzweise hören und im Chor / in Gruppen nachsprechen
- „Imitatives Nachsprechen": L spricht neues bzw. schwieriges Sprachmaterial mit wechselnder Stimmlage vor (laut, leise, fröhlich, traurig, aggressiv, mit hoher/tiefer Stimme usw.); S imitieren genau
- den Dialog hören und versuchen, halblaut mitzusprechen
- den Dialog mit verteilten Rollen lesen

- zur Kontrolle den Dialog noch einmal von der CD hören
- Varianten des Dialogs in Partnerarbeit einüben
- Dialoge selbst machen; aus vorgegebenen bekannten Dialogteilen neue Dialoge machen
- Dialoge szenisch darstellen:
  Differenzierung:
  - schwächere S übernehmen kleinere Sprechrollen
  - schwächere S dürfen beim Sprechen hin und wieder ins Buch sehen
  - Textgerüst als Hilfe
  - ohne visuelle Hilfe frei sprechen

Unterstützende Übungen

- L/S liest einen Satz aus dem Dialog vor, S zeigen auf den Satz im Buch
- L/S liest einen Satz aus dem Dialog vor, S nennen den Sprecher
- „Was kommt dann?": den Text hören und mitlesen; dann die CD an beliebiger Stelle stoppen; S sprechen bzw. lesen den folgenden Satz; dann die CD weiterlaufen lassen
- „Tamburin-Spiel": Lehrer liest/spricht einen Satz, lässt aber ein Wort weg und schlägt stattdessen auf ein Tamburin oder klatscht in die Hände, hustet oder schnippt mit den Fingern; alle oder einzelne Schüler lesen oder sprechen den ganzen Satz mit dem fehlenden Wort.
- „Flüsterübung": L liest mit kaum hörbarer Stimme (flüsternd) einen Satz vor; S suchen den Satz und lesen ihn vor. Diese Übung zwingt die S zu großer Aufmerksamkeit und damit zur Ruhe. Sie sollte beim Einüben neuer Redemittel oft eingesetzt werden.
- „Sprechlesen": S schauen ins Buch, lesen einen Satz still und sprechen ihn dann auswendig
- „Rollenlesen": den Text mit verteilten Rollen lesen; eventuell auch mit dem Buch in der Hand als „Sprechlesen"
- „Flüsterlesen" in Gruppen / mit einem Partner: wie „Rollenlesen", jedoch flüsternd
- „Flüsterlesen" mit Fingergruppen: Ein S kann bis zu drei Rollen flüsternd üben
HINWEIS: Die Methode „Flüsterlesen" ermöglicht nicht nur vielen S, gleichzeitig intensiv zu üben; so kann man auch ohne große Mühe Dialoge auswendig lernen.

2.2.2 Ausspracheübungen mit der CD

Unter dem Titel „Nachsprechen" wird in fast jeder Lektion die Aussprache des neuen Sprachmaterials speziell eingeübt. Dieses wird oft verbunden mit Ausspracheübungen zu speziellen phonetischen Phänomenen.

- die Übung abschnittweise hören und genau nachsprechen, dabei auch auf die Intonation achten
- „Klatschübung zur Betonung": Hören, Nachsprechen und die Silbenbetonung mitklatschen
  (bei der betonten Silbe (b) in die Hände klatschen, bei den unbetonten Silben (u) mit der Faust in die Handfläche klopfen; Beispiel: Mathematik = u-u-u-b)

Unter dem Titel „Laute und Buchstaben" finden sich Ausspracheübungen zu besonders schwierigen Lauten. Dabei werden meistens auch Hilfen zur Lautbildung angeboten. Hier muss der Lehrer entscheiden, welche Übungen für seine Lerngruppe besonders relevant sind. Außerdem werden Buchstaben und Buchstabengruppen geübt, bei denen das Lautbild vom Schriftbild abweicht. Beispiel: Lautbild _ai_ – Schriftbild _ei_.
Es bleibt dem Lehrer überlassen, wann er die einzelnen Übungen zur Aussprache im Unterricht einsetzt. Naheliegend ist, die Aussprache von neuen Redemitteln zeitnah zur Einführung zu üben. Aber auch die Aussprache bereits bekannter Redemittel sollte sporadisch immer wieder geübt werden.

2.2.3 Vorschläge für Ausspracheübungen ohne CD:

HINWEIS: Die folgenden Übungen müssen immer vom Lehrer als Sprachvorbild durchgeführt werden.

- „Fehler erkennen":
  L spricht ein bekanntes Wort oder einen Satz fünfmal vor; beim ersten und letzten Mal richtig, beim zweiten, dritten oder vierten Mal einmal falsch. Die Schüler sollen erkennen, an welcher Stelle das Wort / der Satz falsch ausgesprochen wurde. Sie „fangen" den Fehler mit einer Hand oder nennen die Stelle mit einer Ziffer (2, 3 oder 4; eventuell die Ziffer aufschreiben). Danach muss das Wort / der Satz noch einmal vom L vorgesprochen und von den S im Chor nachgesprochen werden. Beispiel: _ich – ich – ich – isch – ich_
  HINWEIS: Diese Übung zur Sensibilisierung des Gehörs ist deshalb besonders wichtig, weil ein Fremdsprachenlerner nur das richtig sprechen kann, was er auch richtig hören kann.

- „Imitatives Nachsprechen":
  L spricht neues bzw. schwieriges Sprachmaterial mit wechselnder Stimmlage vor
  (laut, leise, fröhlich, traurig, aggressiv, mit hoher/tiefer Stimme usw.) Die Schüler imitieren genau.

- Spielerische Lautierung:
  - schwierige Laute übermäßig verlängern oder isolieren (Beispiel: _spielen_; _schreiben_)
  - bei zusammengesetzten Wörtern den Knacklaut deutlich herausarbeiten (Beispiel: _Ruck-sack; Mäpp-chen; Farb-stift_)

- Gestische Unterstützung:
  - gedehnte Vokale mit Handzeichen verdeutlichen (Beispiel: _Vater, schön, sieben_)
  - bei Anlaut-h die Hand anhauchen und so den Hauch und die Wärme erleben – oder ein kleines Papierstückchen auf den Handrücken legen; bei richtig gesprochenem „h" (_haben_) bewegt es sich oder fliegt weg.

- Assoziationshilfen und Lautmalerei:
  - _sch_: eine Dampflokomotive imitieren
  - _w_: den Wind imitieren
  - _ü_: Feuerwehr oder Krankenwagen imitieren (_ta-tü-ta-tü_)
  - _ö_: das Blöken eines Schafes nachahmen
  - _ich_-Laut: wie eine Katze fauchen. Wenn der ich-Laut wie „sch" gesprochen wird, den Zeigefinger quer vor die leicht geöffneten Zähne halten
  - _ach_-Laut: schnarchen
  - stimmhaftes _s_ im Anlaut: wie eine Biene summen
  - _z_: wie eine Schlange zischen

- Spiel- und Liedformen:
  - Rhythmisierung durch Klatschen, Stampfen, Klopfen, vor allem als Betonungsübung
  - Melodien mit Unsinn-Silben nachsingen, dabei schwierige Laute verwenden (_sim-sim-sim / lö-lö-lö / sü-sü-sü/ ..._)
  - „Ratespiel zur Betonung": die in der „Klatschübung zur Betonung" (siehe S. 6, Punkt 2.2.2) nur akustisch dargestellten Wörter nachklatschen und raten, um welches Wort es sich handelt

2.3 Lesen

Ausgangspunkt sind ganz unterschiedliche Textsorten, wie sie Kindern in diesem Alter begegnen, anfangs eher dialogische, später auch narrative. Neben Comics, Anzeigen, E-Mails, SMS, einem Artikel aus einer Kinderzeitschrift, Preisschildern und Briefen gibt es auch längere erzählende Texte. Diese Lesetexte bieten häufig bekanntes Sprachmaterial in einer neuen Situation. Zum Lösen der Aufgaben ist es nicht immer nötig, den Text in allen Einzelheiten zu verstehen. Die Kinder sollen lernen, Vorinformationen zu nutzen, aus denen sie auf den Inhalt der Texte schließen können.
In dieser Altersstufe sollten die Lesetexte nicht nur zur Lösung von Aufgaben, sondern auch zur Übung der Lesefertigkeit genutzt werden.

2.3.1 Vorschläge zum Erarbeiten von Lesetexten

- zur Vorentlastung Bild/Bilder ansehen und über die Situation sprechen
- aufgrund des Titels bzw. der Illustrationen Vermutungen über den Inhalt äußern
- den Text still lesen, dabei jedem Kind entsprechend seinem Lesetempo ausreichend Zeit lassen
- den Text kopieren, die Kinder unterstreichen alles, was sie verstehen. Wichtig: Nicht unterstreichen lassen, was die Kinder _nicht_ verstehen. Das wäre zum einen nicht motivationsfördernd, zum andern je nach Aufgabenstellung auch nicht sinnvoll. Es reicht aus, wenn die Kinder den Text so weit verstehen, dass sie die gestellten Aufgaben lösen können.
- je nach Aufgabenstellung:
  - Text/Textteile und Bilder kopieren und an der Tafel die Bilder dem Text zuordnen beziehungsweise die Textteile der Bildfolge zuordnen
  - die Textteile kopieren und an der Tafel oder in Partnerarbeit in die richtige Reihenfolge bringen
  - eine Aufgabe lesen, das Verständnis der Aufgabe abklären (zum Beispiel durch das Benennen von Schlüsselwörtern), den Text lesen, die Aufgabe beantworten usw.
  oder
  - alle Aufgaben lesen, den Text lesen, die erste Aufgabe noch einmal lesen und sie beantworten usw.

2.3.2 Übungen zum Leseverstehen

Bei den Übungen zum Global- und Detailverstehen werden im Kurs- und Arbeitsbuch insbesondere auch Aufgaben zum Leseverstehen eingesetzt, die in A1-Prüfungen (z.B. „Fit in Deutsch 1") verlangt werden.
- vorgegebene Aufgaben lösen:
  - Richtig-Falsch-Aufgaben
  - vorgegebene Fragen zum Text beantworten

- Fragen zum Text stellen:
  - L stellt Fragen
  - S stellen Fragen, auch in Partnerarbeit
- L/HP macht falsche und richtige Aussagen zum Textinhalt. S stellen die falschen Aussagen richtig.
- L gibt Teilüberschriften vor. S suchen die passenden Textabschnitte.
- L liest einen Satz aus dem Text vor; S zeigen auf die Stelle im Text.
- „Wer sagt das?" (bei dialogischen Texten): L liest einen Satz vor; S nennen den Sprecher.
- „Wo steht das?": die Zeilen nummerieren; L liest einen Satz vor; S nennen die Zeile.

2.3.3 Übungen zur Lesefertigkeit

Die Lesefertigkeit sollte vorsichtig aufgebaut werden. Sollten sich beim Lautlesen Aussprachefehler einschleichen, ist das Klangbild noch nicht gefestigt. Dann muss der Lehrer vorlesen, die Schüler sprechen nach.

- L liest einen Satz oder Textabschnitt vor und tauscht ein Wort aus oder lässt ein Wort weg. S lesen still mit, rufen *Stopp* und lesen den Satz richtig vor
- L liest einen Satz mit falscher Intonation vor; S lesen still mit, rufen *Stopp* und lesen den jeweiligen Satz richtig vor
- „Satzanfang": L / später S liest einen beliebigen Satzanfang vor; S suchen den Satz und lesen ihn vollständig vor
- „Was kommt dann?": L / später S liest einen Satz aus dem Text vor; S suchen und lesen den nächsten Satz vor
- „Was kommt vorher?": L/ später S liest einen Satz aus dem Text vor; S suchen und lesen den vorherigen Satz vor
- „Wie heißt der Satz?": L / später S nennt ein Schlüsselwort aus dem Text; S suchen die Stelle im Text und lesen den Satz vor
- „Nummern rufen": Jeder Schüler bekommt eine Nummer. Ein Schüler liest den ersten Satz und ruft eine Nummer, der Schüler mit der aufgerufenen Nummer liest den zweiten Satz usw.

oder

Ein Schüler liest, bis der Spielleiter eine neue Nummer ruft; der Schüler mit der aufgerufenen Nummer liest sofort weiter usw.

2.4 Schreiben

Einen natürlichen ersten Schreibanlass stellt das Erstellen von Spielen dar. Die Schüler schreiben Wort- oder Satzkarten zu verschiedenen Spielen. Durch das Schreiben und das anschließende Spielen entsteht ein doppelter Übungseffekt. Anfangs mithilfe von Vorgaben, später als freie Aufgabe lernen die Kinder, realistische Schreibsituationen zu bewältigen, so z.B. Briefe, E-Mails oder SMS-Nachrichten. Der kreative Umgang mit der neuen Sprache beim Erfinden neuer Liedstrophen oder beim Schreiben von Comics, Quatsch-Sätzen oder kleinen Geschichten macht den Kindern Spaß. Die Ergebnisse können sie als Nachweis ihres Erfolges im Dossier ihres **Portfolios** sammeln.

2.4.1 Spiele erstellen

Die Schüler schreiben Wort- oder Satzkarten zu verschiedenen Spielen. Durch das Schreiben und das anschließende Spielen ergibt sich ein doppelter Übungseffekt.
- die Vorgaben lesen
- in Partner- oder Gruppenarbeit Wort- oder Satzkarten schreiben
- die Karten für die individuelle Arbeit in Freiarbeitsphasen in der Klasse aufbewahren

2.4.2 „Echte" Schreibanlässe

Mithilfe der Vorgaben im Kursbuch schreiben die Schüler Briefe, E-Mails oder SMS-Nachrichten.
- die Vorgaben lesen
- in der Klasse gemeinsam ein oder mehrere Beispiele erarbeiten
- in Partner- oder Gruppenarbeit weitere Texte entwickeln; die erarbeiteten Texte in der Klasse vorlesen und verbessern

Differenzierung: Gute Gruppen arbeiten selbstständig, schwächere mit L.

2.4.3 Geschichten schreiben

Die Schüler schreiben eine ungeordnet vorgegebene Geschichte in der richtigen Reihenfolge auf.
- den ungeordneten Text still lesen
- in der Klasse gemeinsam / in Gruppen den Text mündlich richtigstellen
- in Stillarbeit den Text in der richtigen Reihenfolge aufschreiben; für schwächere S die Reihenfolge durch Nummern kennzeichnen

2.4.4 Hinführung zum freien Schreiben

Die Schüler erfinden Comics oder Situationen, die sie selbst zeichnen und betexten. Im Arbeitsbuch reichen die schriftlichen Übungen von gebundenen über freiere Übungsformen bis zur Textproduktion.

• den Mustertext im Buch lesen
• Stichwörter zu einem neuen Comic/Text sammeln
• in der Klasse gemeinsam ein Beispiel erarbeiten
• in Partner- oder Stillarbeit eigene Comics/Texte entwickeln, gute Schüler selbstständig, schwächere Schüler mithilfe des Lehrers
• die Comics/Texte in der Klasse aufhängen, besprechen und wenn nötig verbessern

2.4.5 Texte „weiterdichten"

Die Schüler können zu den meisten Liedern und Reimen selbst weitere Strophen entwickeln, indem sie nur einige Wörter austauschen.

• das Lied einüben (siehe unten, Punkt 4.1) bzw. den Reim lesen
• in der Klasse gemeinsam ein Beispiel erarbeiten
• in Gruppenarbeit weitere Strophen schreiben
• die neuen Strophen vortragen und, bei Liedern, gemeinsam zur Playback-Fassung auf der CD singen

3. Arbeit mit der Wortliste im Arbeitsbuch

Aus lernpsychologischer Sicht ist es nicht sinnvoll, Wortschatz in Wortgleichungen zu lernen, also deutsches Wort – muttersprachliche „Übersetzung". Solche isolierten Begriffe prägen sich im Gedächtnis nur schwer ein. Der effektivere Weg ist es, Wörter in eine Situation oder eine Struktur einzubetten, weil dadurch im Gehirn spontan und dauerhaft Verknüpfungen hergestellt werden.
Beispiel: S1: *Was macht ihr denn da?* – S2: *Wir spielen Würfeln.* – S1: *Darf ich mitspielen? / Wie langweilig! / Würfeln? Toll. / Ich spiele lieber Verstecken.*
Dieser für die Kinder sehr motivierenden Idee von Wortschatzarbeit folgend, werden im Lehrerhandbuch am Ende jedes Moduls Vorschläge für die Arbeit mit der Wortliste gemacht. Auch der Spielplan „Ein Spiel für alle Fälle" im Kursbuch auf Seite 100 wird in diese Arbeit integriert.

4. Lieder

Lieder sind gerade für Kinder ein ausgezeichnetes Mittel zum Spracherwerb. Durch sie können neue Redemittel eingeführt, geübt und durch Wiederholung intensiv gefestigt werden. Sie sind natürlich immer zum Mitsingen, manchmal auch zum Mitklatschen, Mitbewegen, Tanzen oder auch zum Weiterdichten geeignet. Auf der CD gibt es zu jedem der Lieder eine Playbackfassung, zu der die Kinder das Lied oder die dazu selbst geschriebenen Strophen singen können. Lieder sollten nach Möglichkeit als fester Bestandteil in den Unterrichtsablauf integriert werden, zum Beispiel indem jede Stunde mit einer Liedstrophe beginnt oder endet.

4.1 Vorschläge zur Arbeit mit Liedern:

• das Lied strophenweise hören; neue Redemittel werden dabei durch den Hinweis auf begleitende Abbildungen oder durch Pantomime semantisiert
• das Lied hören und die Melodie mitsummen
• das Lied hören und dazu rhythmisch klatschen
• bei Liedern mit sich wiederholenden Textteilen zuerst diese einüben
• die Melodie durch Mitsingen auf Silben einüben (*sim-sim-sim, la-la-la* …), dabei auch schwierige Laute verwenden, z.B. *lö-lö*
• den Text durch rhythmisches Sprechen einüben
• Lieder strophenweise durch Mitsingen mit dem Sänger einüben
• bei Liedern mit vielen Strophen jeden Tag eine neue Strophe lernen
• die gelernten Strophen zur Playback-Fassung singen
• dafür geeignete Lieder durch Klatschen, Schnippen mit den Fingern, Tamburin, Triangel und andere Instrumente begleiten
• Lieder im Stehen singen und den Körper mitschwingen lassen
• dafür geeignete Lieder in die szenische Darstellung der Dialoge integrieren
• Lieder auch zu einem späteren Zeitpunkt wiederholen

5. Spiele und Übungen, die im Unterricht immer wieder eingesetzt werden können

5.1 Zum Sprechen

„Imitatives Nachsprechen"

L spricht neues bzw. schwieriges Sprachmaterial mit wechselnder Stimmlage vor (laut, leise, fröhlich, traurig, aggressiv, mit hoher/tiefer Stimme usw.). S imitieren genau.

„Kofferpacken"

S1 nennt einen Satz. S2 wiederholt und ergänzt Verb, Nomen … S3 fängt wieder von vorne an und ergänzt …
Beispiel: S1: *Ich möchte turnen.* – S2: *Ich möchte turnen und tanzen.* – S3: *Ich möchte turnen, tanzen und singen.* –
S4: *Ich möchte …*
oder
S1: *Wir spielen Fangen.* – S2: *Wir spielen Fangen oder Fußball.* – S3: *Wir spielen Fangen, Fußball oder Karten.* –
S4: *Wir spielen Fangen, Fußball, Karten oder …*

„Dalli-Dalli"

In diesem schnellen Spiel wird Wortschatz wiederholt. Die S bekommen die Aufgabe, innerhalb einer festgesetzten Zeit (30 Sekunden / eine Minute) möglichst viele Wörter aus einem bestimmten Wortfeld (Nomen, Verben oder Adjektive) zu nennen.
Beispiel: *Schulsachen* – *Bleistift, Spitzer, Pinsel usw.*

„Tamburin-Spiel"

L oder S nennt einen Satz, lässt aber ein Wort weg und schlägt stattdessen auf ein Tamburin, hustet, klatscht in die Hände oder schnippt mit den Fingern. S sprechen dann den vollständigen Satz.
Beispiel: L: ____ *die Jacke zu.* – S / alle S: *Mach die Jacke zu.*
oder
L: *Gib mir bitte ___ Bleistift.* – S / alle S: *Gib mir bitte den Bleistift.*
Diese Übung eignet sich sehr gut zum Einüben der Artikel! Da der Kasus des Artikels vom Verb abhängt, sollte bei dieser Übung immer im ganzen Satz gesprochen werden.

„6-Richtige-Spiel"

Der Spielleiter (L oder S) stellt einem Schüler oder einer Gruppe sechsmal eine mündliche Aufgabe. Wer die sechs Aufgaben richtig löst, hat „6 Richtige".
Beispiel: Der Spielleiter nennt sechs Zahlen aus dem Zahlenraum 1–20. Ein S muss sie nacheinander richtig anschreiben.
oder
Der Spielleiter schreibt sechs Zahlen an die Tafel. Ein S muss die Zahlen in der richtigen Reihenfolge lesen.
oder
In Kombination mit dem „Tamburin-Spiel" (siehe oben): L nennt nacheinander sechs Lückensätze – S spricht jeweils die vollständigen Sätze. Beispiel: L: *Ich möchte ___ Jacke.* – S: *Ich möchte die Jacke.* – L: *Ich möchte ____ Pulli.* – S: *Ich möchte den Pulli.* usw.

5.2 Zum Hören

„Fehler erkennen"

HINWEIS: Diese Übung zur Sensibilisierung des Gehörs ist besonders wichtig, weil ein Fremdsprachenlerner nur das richtig sprechen kann, was er auch richtig hören kann. Sie kann bei allen Ausspracheproblemen spontan eingesetzt werden. Es ist wichtig, dass immer nur der Lehrer vorspricht, da die Aussprache Vorbildcharakter haben muss.
Ablauf der Übung: L spricht ein bekanntes Wort oder einen Satz fünfmal vor. Beim ersten und beim letzten Mal wird das Wort / der Satz immer richtig gesprochen, beim zweiten, dritten oder vierten Mal wird das Wort / der Satz einmal falsch gesprochen. S sollen erkennen, an welcher Stelle das Wort / der Satz falsch ausgesprochen wurde. Sie „fangen" den Fehler pantomimisch mit einer Hand oder benennen die Stelle mit einer Ziffer (2, 3 oder 4; eventuell die Ziffer aufschreiben). Dann muss das Wort / der Satz vom L noch einmal richtig vorgesprochen und von den S im Chor nachgesprochen werden, damit die richtige Aussprache im Gedächtnis bleibt.
Beispiel: *Würfeln – Würfeln – Würfeln – Bürfeln – Würfeln*

5.3 Zum Lesen

„Fragewürfel"

Einen Würfel basteln und die Seiten mit den Fragewörtern *Wer?, Was?, Wie?, Wo?, Warum?* oder *Woher?* und *?* (für eine Ja-/Nein-Frage) beschriften. Ein S würfelt. S1 stellt mit dem Fragewort eine Frage zu einem Lesetext. S2 antwortet. Das Spiel ist auch als Gruppenwettkampf geeignet.

VORSCHLAG: den Würfel nicht selbst herstellen, sondern einen größeren Spielwürfel nehmen und die Seiten bekleben und beschriften

5.4 Zum Schreiben

„Buchstabenspinne"

Das Spiel eignet sich besonders dafür, bekannten Wortschatz innerhalb eines Wortfeldes zu aktivieren und zu festigen sowie die Rechtschreibung schwieriger Wörter zu üben.

Beispiel: Das Wortfeld *Kleidung* soll aktiviert werden. L/S wählt ein bekanntes Wort aus, z.B. *Jacke*. L/S macht an der Tafel für jeden Buchstaben einen Strich: _ _ _ _ _. Die Klasse nennt Buchstaben. Jeder richtige Buchstabe wird auf den entsprechenden Strich geschrieben. Ein Schüler sagt z.B. „a"; die Zeichnung verändert sich so: _ a _ _ _. Die Klasse darf das Wort erst sagen, wenn alle Buchstaben erraten sind.

Wenn Buchstaben genannt werden, die in dem Wort nicht vorkommen, entsteht nach und nach eine Spinne: zuerst der Leib, dann vier Beine auf jeder Seite, zum Schluss in zwei Schritten ein Kreuz auf dem Rücken der Spinne, sodass die Schüler zehnmal falsch raten können. Beim elften falsch geratenen Buchstaben ist die Spinne komplett und die Klasse hat „verloren".

„Zahlenbingo"

Gespielt wird in einem begrenzten Zahlenraum. Jeder Schüler zeichnet ein Bingokreuz —|— oder -gitter —|—|— in sein Heft und schreibt Zahlen hinein. Der Spielleiter ruft Zahlen aus diesem Zahlenraum. Wer eine seiner Zahlen hört, kann sie durchstreichen. Wer zuerst alle Zahlen durchgestrichen hat, ruft „Bingo!" und hat gewonnen.

„Wortbingo"

Wie „Zahlenbingo", aber mit Wörtern aus einem Wortfeld, z.B. *Schulsachen*.

„Buchstabenspiel"

In Gruppenarbeit werden Wortkarten geschrieben und in Einzelbuchstaben zerschnitten. Der Spielleiter (S oder L) nennt ein Wort, und die Gruppen legen das Wort so schnell wie möglich mit den Buchstabenkärtchen. Sieger ist die Gruppe, die das Wort am schnellsten gelegt hat. Sie bekommt einen Punkt.

Variante: Jeweils die schnellste Gruppe darf einen Strich zu einem Häuschen zeichnen. Sieger ist die Gruppe, die am schnellsten das Häuschen fertig hat.

Variante: Wörter in Silben anstelle in Buchstaben zerschneiden

5.5 Beobachtungsspiele

„Kimspiele"

Bildkarten oder Wörter werden geordnet oder ungeordnet an die Tafel gehängt bzw. angeschrieben. Alle Schüler schauen genau hin und machen dann die Augen zu. Der Spielleiter nimmt ein Bild weg / deckt ein Bild oder Wort zu / wischt ein Wort weg. Die Schüler müssen das fehlende Wort/Bild nennen oder aufschreiben.

„Rasterspiel"

Das „Rasterspiel" festigt insbesondere den Gebrauch der Genera.

Beim Rasterspiel ohne Pluralformen ein Raster mit drei senkrechten Spalten und beliebig vielen waagerechten Spalten an die Tafel zeichnen. Die senkrechten Spalten mit A (blauer Farbpunkt), B (grüner Farbpunkt), C (roter Farbpunkt) kennzeichnen, die waagerechten Spalten mit Ziffern 1, 2, 3 ... beschriften. In die Rasterflächen werden verdeckt Bildkarten gehängt, zum Beispiel *Schulsachen*.

S1 fragt: *Was ist A2?* – S2: *Der Spitzer.* S2 dreht die Bildkarte zur Kontrolle um. Beim Rasterspiel mit Singular- und Pluralformen muss eine senkrechte Spalte D (gelber Farbpunkt) ergänzt werden.

5.6 Ratespiele

„Zeichnen und Raten"

Die Schüler schreiben Wörter auf Wortkarten, zum Beispiel aus dem Wortfeld *Kleidung*. Ein Kind zieht eine Karte, zum Beispiel *Jacke* und lässt Schritt für Schritt an der Tafel eine Zeichnung des Kleidungsstücks entstehen. Nach jedem Schritt versucht die Klasse, das Wort zu erraten.

„Worträtsel"

Ein Ratespiel, das mit realen Gegenständen, Wort-/Bildkarten oder auch nur verbal durchgeführt werden kann. Es kann zum Training vieler Begriffe und Strukturen gespielt werden.
Beispiel zum Wortfeld *Schulsachen*: S1 steht vor der Klasse und hält einen Radiergummi hinter dem Rücken.
S1: *Ich habe den hüpe küre. Ratet mal.*
S2: *Hast du den Spitzer?*
S1: *Nein.*
S3: *Hast du das Mäppchen?*
S1: *Nein, ich habe <u>den</u> hüpe küre.*
S4: *Hast du den ... ?*

„Pantomime raten"

S spielen einen Begriff oder eine Handlung pantomimisch vor. Die anderen müssen raten.
Beispiel mit *Tätigkeiten in der Schule* zum Einüben der 2. Person Singular Präsens: S1 steht vor der Klasse und singt pantomimisch. S2: *Du singst.* – S1: *Richtig.*

„Verstehst du Planetanisch?"

In Planetanien, der Heimat Planetinos, spricht man natürlich Planetanisch. Diese Sprache hat keine Vokale, wie die deutsche Sprache, sondern stattdessen die Umlaute ö und ü.
Beispiel: auf Planetanisch: *Wör spölön Föngön.* – auf Deutsch: *Wir spielen Fangen.* /
Üch müchtü büstüln. – *Ich möchte basteln.*
VORSCHLAG: S1 spricht ein bekanntes Wort oder einen Satz auf Planetanisch. S2 „übersetzt" Wort oder Satz ins Deutsche. Diese Übungsform festigt nicht nur auf spaßige Weise die Aussprache schwieriger Laute, sondern sie übt auch den Gebrauch von Wörtern und Strukturen.

5.7 Kartenspiele

„Memory®"

Kartenpaare (z.B. Bild- und Wortkarten oder Frage- und Antwortkarten) werden hergestellt, gemischt und verdeckt auf einen Tisch gelegt. Jeder Spieler deckt zwei Karten auf und sagt, was er aufgedeckt hat. Wenn die Karten zusammenpassen, darf er das Paar nehmen und zwei weitere Karten aufdecken. Sieger ist, wer die meisten Kartenpaare gefunden hat.
Beispiel mit Bild- und Wortkarten aus dem Wortfeld *Kleidung*: S1: *Ich habe die Jacke und die Mütze. Falsch.* –
S2: *Ich habe das T-Shirt und das T-Shirt. Richtig. Ich bin noch mal dran.*

„Schwarzer Peter"

Kartenpaare (z.B. Bild- und Wortkarten, Frage- und Antwortkarten oder Zahl und Ziffer) werden hergestellt, dazu eine Karte „Schwarzer Peter".
Vier Kinder bilden eine Gruppe. Die Karten werden gemischt und ausgeteilt. Wer jetzt schon ein Kartenpaar hat, legt es auf den Tisch und liest vor. Dann zieht er eine Karte von seinem rechten Mitspieler. Hat er jetzt wieder ein Paar, kann er wieder ablegen und vorlesen.
Dann ist der nächste Schüler dran. Wer am Schluss den „Schwarzen Peter" übrig hat, hat verloren.

5.8 Bewegungsspiele

„Klopfspiel"

Alle Schüler klopfen leise mit den Fingern auf den Tisch.

Der Spielleiter (L oder S) macht richtige und falsche Aussagen. Wenn der Satz richtig ist, heben die Schüler die Hände. Ist der Satz falsch, klopfen sie weiter.

Variante: richtige Aussagen – S bleiben auf dem Stuhl sitzen, falsche Aussagen – S stehen auf.

Beispiel zu *Kleidung und Farben*: L/S (zeigt auf seine grüne Hose): *Meine Hose ist grün.* – S heben die Hand / bleiben sitzen. – L/S (zeigt auf sein Hemd): *Meine Jacke ist blau.* – S klopfen weiter / stehen auf.

Variante: Um mehr Wortschatz üben zu können, stehen ein Junge und ein Mädchen vor der Klasse. L: *Lisas Rock ist …* – *Marcos Pulli ist …* Oder die zwei S sprechen selbst.

„Partnersuchspiel"

Wie für das „Memory®-Spiel" werden Kartenpaare hergestellt, so viele, dass jeder S eine Karte hat. Alle Schüler gehen durch die Klasse, sprechen leise das Wort oder den Satz auf ihrer Karte und suchen den Schüler mit der passenden Karte.

„Sitzboogie"

Das Spiel eignet sich sehr gut zum Einüben von neuem Wortschatz.

Alle S sitzen im Kreis oder bei größeren Klassen an ihren Tischen, aber mit genügend Abstand vom Tisch, um die Bewegungen ausführen zu können. Der Spielleiter (zuerst L) führt eine Bewegung aus und spricht dazu eines der Wörter, die geübt werden sollen. Alle S wiederholen die Bewegung und das Wort zweimal.

Beispiel mit *Schulsachen*:

einmal schnippen – *Bleistift* (S imitieren)   noch einmal schnippen – *Bleistift* (S imitieren)

rechte Hand auf den Kopf – *Spitzer* (S imitieren)   linke Hand auf den Kopf – *Spitzer* (S imitieren)

rechte Hand ans Ohr – *Buch* (S imitieren)   linke Hand ans Ohr – *Buch* (S imitieren)

rechte Hand auf die Schulter – *Füller* (S imitieren) – usw.

usw. mit Nase – Bauch – Oberschenkel …; zuletzt mit den Füßen auf den Boden stampfen

Wichtig ist dabei, dass Bewegung und Sprechen immer gleichzeitig ablaufen.

Langsam beginnen; je schneller das Spiel wird, umso lustiger wird es. S lösen bald L als Spielleiter ab.

Variante: Jedes Wort nur einmal sprechen

„Platzwechselspiel"

Bei diesem Spiel soll das Heraushören von Schlüsselwörtern oder neuem Wortschatz geübt werden.

Die Klasse steht im Kreis; L nennt immer zwei sich gegenüberstehenden S dasselbe Wort aus einer Hörgeschichte oder einem Lesetext. Das ist „ihr" Wort. Die Schüler hören den Text. Bei Lesetexten liest L vor. Jeweils die beiden sich gegenüberstehenden Schüler tauschen den Platz, wenn sie „ihr" Wort hören.

„Interview-Spiel"

Das Spiel ist sehr gut geeignet, um einzelne Strukturen und spezifische Lexik zu üben. Außerdem bietet es die Möglichkeit, dass alle Schüler gleichzeitig und intensiv miteinander kommunizieren können.

Erklärung des Spiels am Beispiel des Wortfeldes *Tätigkeiten in der Klasse*:

• S schreiben die Wörter des Wortfeldes in Tabellenform an die Tafel.

• Die Wörter werden durchnummeriert.

Tafelbild:

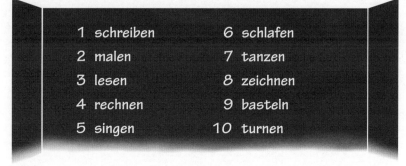

1	schreiben	6	schlafen
2	malen	7	tanzen
3	lesen	8	zeichnen
4	rechnen	9	basteln
5	singen	10	turnen

Wichtig: Das Tafelbild muss während des gesamten Spiels sichtbar bleiben.

- Eine Frage wird festgelegt, die von allen S benutzt wird, z.B. *Möchtest du gern ...?*
- Jeder S schreibt auf die Rückseite eines Blattes seine Lieblingstätigkeit, z.B. *lesen*.
- Nun faltet er das Blatt so, dass die anderen das Wort nicht sehen können.
- Alle S gehen in der Klasse herum und fragen sich gegenseitig.
  Beispiel:
  S1: *Claudia, möchtest du gern singen?*
  Claudia: *Ja.*
- Bei jeder positiven Antwort schaut S auf die Tabelle an der Tafel und schreibt Name und Ziffer auf sein Blatt, z.B. *Claudia 5*
- Wer zuerst eine vorher festgelegte Anzahl an Namen und Ziffern notiert hat, ruft: *Ich bin fertig.*
- Zur Kontrolle werden die Kurzinformationen auf dem Zettel überprüft.
  Beispiel:
  S1: *Claudia möchte gern lesen.*
  Claudia: *Richtig.*
  S1: *Jan möchte gern turnen.*
  Jan: *Richtig.*

„1, 2 oder 3?"

Nomen (zu einem Wortfeld) werden nach Artikeln geordnet an die Tafel geschrieben oder Bildkarten werden entsprechend aufgehängt: 1. senkrechte Spalte: Maskulinum (blauer Farbpunkt) – 2. senkrechte Spalte: Neutrum (grüner Farbpunkt) – 3. senkrechte Spalte: Femininum (roter Farbpunkt). S schauen kurz auf die Tabelle an der Tafel und stellen sich dann mit dem Rücken zur Tafel. Der Spielleiter nennt ein Nomen ohne Artikel. S stellen sich mit dem Rücken vor die Spalte an der Tafel, in der das Wort steht. Die Klasse kontrolliert.

„1, 2, 3 oder 4?"

wie Spiel „1, 2 oder 3?", aber mit einer 4. senkrechten Spalte: Plural (gelber Farbpunkt)

5.9 Spiel mit dem Spielplan „Ein Spiel für alle Fälle" (Kursbuch Seite 100)

Material: Figuren, Würfel und Karten (auch Bild- und Wortkarten aus bereits durchgenommenen Lektionen) mit Aufgaben für die Ereignisfelder

Das Spiel eignet sich sehr gut zum Einüben und Wiederholen von bekanntem Sprachmaterial, besonders auch für die individuelle Arbeit in Freiarbeitsphasen.
Der Spielplan hat weiße, farbige und Planetino-Felder. Wenn der Spieler auf ein farbiges Feld (Ereignisfeld) kommt, muss er eine Aufgabe lösen. Kann er die Aufgabe nicht lösen, muss er einmal aussetzen. Wer auf ein Planetino-Feld kommt, darf noch einmal würfeln.
Diese Karten für die Ereignisfelder werden umgedreht auf einen Stapel gelegt. Wer auf ein farbiges Feld kommt, nimmt die oberste Karte vom Stapel und versucht, die Aufgabe zu lösen.

Beispiel:
Mit den Bildkarten *Tätigkeiten in der Schule*: Die Satzstruktur *Ich möchte gern ...* wird für alle vorgegeben und an die Tafel geschrieben. S1 zieht die Bildkarte *tanzen* und löst die Aufgabe: *Ich möchte gern tanzen.*
Dann ist der nächste Schüler dran.

Methodisch-didaktische Hinweise

AB/Portfolio	Die Seite *Das bin ich* (Seite 7) heraustrennen und als oberste Seite ins Portfolio einheften (sofern nicht vorhanden, für das Portfolio eine Mappe anlegen); den eigenen Namen eintragen und ein Foto einkleben oder ein Bild von sich malen. L erklärt den S, dass die Seite *Das bin ich* im Laufe der Arbeit mit PLANETINO 1 Schritt für Schritt weiter ausgefüllt wird.

Start frei!

☞	Internationalismen; das Alphabet; Zahlen von 1–12
	fakultativ: die Begrüßung einführen (L: *Guten Morgen, Kinder!* S: *Guten Morgen, Frau/Herr ...*)
	• L spricht *Guten Morgen!* mit wechselnder Stimmlage vor, z.B. laut, leise, flüsternd, fröhlich, ... S imitieren genau („Imitatives Nachsprechen" – siehe LHB S. 6, Punkt 2.2.3); ebenso mit *Frau* oder *Herr*

1 Deutsch-Quiz

Start frei! | S. 5

☞	Erster Kontakt mit der deutschen Sprache über Internationalismen
Material	L bringt, wenn möglich, Gitarre, CD, Telefon (kein Handy) und Pullover mit.
	VORBEMERKUNG zur Unterrichtssprache des Lehrers: Der L sollte schon in den ersten Unterrichtsstunden damit beginnen, Anweisungen auf Deutsch zu geben, und möglichst nicht übersetzen. Fast alle Anweisungen wie z.B. *Nehmt bitte das Buch. – Hör genau zu. – Schau die Bilder an. – Zeig auf den Bildern mit.* usw. kann L durch Gesten verdeutlichen und so verständlich machen. Die S werden stolz sein, dass sie schon Deutsch verstehen! Außerdem merken sie so schon früh, dass Verständigung nicht nur verbal geschieht, sondern auch durch Gesten und Mimik. Natürlich ist Übersetzen nicht verboten, aber es sollte nur eingesetzt werden, wenn es nicht anders geht. (Zum Thema Unterrichtssprache siehe auch die Liste im LHB S. 4)
	• die mitgebrachten Materialien zeigen; in der Muttersprache und auf Deutsch benennen (nur das Wort, nicht *Das ist ...*)
➲ 1a	• Die Aufgabe wie angegeben durchführen
	HINWEIS: In den Aufgaben a und b geht es zunächst nur um das Klangbild der deutschen Wörter. Das Wortbild sollte hier noch nicht beachtet werden. In Aufgabe d geht es dann um die Verbindung von Klangbild und Wortbild.
➲ 1b • CD 1/2	• alle Wörter hören und dabei die Bilder anschauen • noch einmal hören; nach jedem Wort auf das entsprechende Bild zeigen und in den Pausen jeweils nachsprechen
➲ 1c	• die Wörter still lesen und den Bildern zuordnen fakultativ: Partnerarbeit: S1 zeigt auf eines der Wörter, S2 zeigt auf das entsprechende Bild.
AB	Übung 1
➲ 1d • CD 1/3	• alle Wörter hören und mitlesen • noch einmal hören und bei jedem Wort auf das entsprechende Bild zeigen

2 Hören

Start frei! | S. 5

☞	Klang- und Worthören
➲ 2a • CD 1/4	• zu jedem der sieben Geräusche auf das entsprechende Wort in Übung 1 zeigen und zur Kontrolle die Lösung hören Variante 1: gemeinsam hören, die Lösung in die Klasse rufen und Kontrollhören

Variante 2: L schreibt auf Zuruf der S die Wörter von Übung 1 an die Tafel; die Geräusche hören, nach jedem Beispiel unterbrechen; ein S kommt an die Tafel und streicht das jeweilige Wort durch; anschließend Kontrollhören

⮑ 2b · CD 1/5	HINWEIS: L erklärt vorab in der Muttersprache, dass es in Aufgabe b nicht darum geht, den Inhalt der kurzen Szenen zu verstehen. Jede Szene bezieht sich auf eines der Bilder/Wörter aus Übung 1. Die Kinder sollen aus jeder Szene ein Wort heraushören, das sie bereits kennen. • die erste Szene mehrmals gemeinsam hören und das bekannte Wort nennen *(Zoo)* • die weiteren acht Szenen hören und die bekannten Wörter heraushören und nennen Varianten: wie zu Aufgabe a

3 Lesen: Was steht denn da?

Start frei! | S. 6

☞	Leseverstehen
	HINWEIS: Ähnlich wie bei den Hörszenen in Übung 2 haben die S nur die Aufgabe, die in Übung 1 gelernten Wörter in den Texten zu suchen und zu benennen.
⮑ 3a/b	• Die Aufgaben in Partnerarbeit bearbeiten; die Lösung zu Aufgabe b aufschreiben (Lösung: 1/G – 2/E – 3/J – 4/H – 5/B – 6/F – 7/D – 8/A)
⮑ 3c	• in Gruppenarbeit als Hausaufgabe über mehrere Tage: Jede Gruppe klebt ihre Ergebnisse auf ein Plakat und hängt es in der Klasse auf.
AB	Übung 2

4 Lied: ABC

Start frei! | S. 6

☞	das deutsche Alphabet einführen und einüben
Material	ein Plakat mit dem ABC (Groß- und Kleinbuchstaben), wie im Kursbuch angeordnet, herstellen oder Tafelanschrift
CD 1/6	• das Lied hören; L zeigt auf dem Plakat / an der Tafel mit • S entdecken Unterschiede zum Alphabet der eigenen Sprache. Typisch deutsche Buchstaben farbig einrahmen • das Lied noch einmal hören; S zeigen im Buch mit • das Lied hören, die mehrfach wiederholten Teile (z.B. *E-F-G*) mitsingen; nach dem Buchstaben X zweimal im Rhythmus des Liedes in die Hände klatschen • das Lied zeilenweise hören, unterbrechen und nachsingen • jede Zeile im Rhythmus des Liedes sprechen; auf dem Plakat / an der Tafel / im Buch mitzeigen
CD 1/7	• zur Playback-Fassung des Liedes singen • „Flüsterübung" (siehe LHB S. 6, Punkt „Unterstützende Übungen"): L nennt flüsternd einzelne Buchstaben, alle S wiederholen laut; ein S zeigt auf dem Plakat / an der Tafel mit • „Flüsterübung" wie vorher; alle S sprechen im Chor nach und zeigen im Buch mit fakultativ: das Lied hören; L unterbricht an einer beliebigen Stelle; ein S nennt und zeigt den Buchstaben, bei dem gestoppt wurde fakultativ: Übungen zum ABC: • die Buchstaben einzeln auf Kärtchen schreiben; L oder ein S nennt flüsternd einen Buchstaben; S heben das passende Kärtchen hoch • alle 26 Kärtchen des Alphabets verteilen; S kommen vor die Klasse und stellen sich mit ihren Kärtchen in der Reihenfolge des Alphabets neben- oder hintereinander auf
AB	Übung 3

5 Spiel: Buchstabenspinne

☞   das Alphabet einüben

CD 1/8
- den Spielablauf hören, ohne ins Buch zu schauen; L erklärt dabei die Bedeutung von *Ja* und *Nein*, indem er die entsprechende Kopfbewegung macht
- L / dann S machen eine Ja-/Nein-Kopfbewegung. S rufen das entsprechende Wort in die Klasse.
- S schauen ins Buch und hören den Ablauf des Ratespiels noch einmal
- S formulieren die Spielregel in der Muttersprache

VORSCHLAG: Damit die S das Wort nicht zu früh erraten und in die Klasse rufen, sollte vereinbart werden, dass erst gerufen werden darf, wenn nur noch ein Strich frei ist.
- einige Male im Plenum das Ratespiel an der Tafel spielen
- Ausspracheschulung ohne CD: Beispiel: *Was ist das?*
- *w:* L imitiert den Wind und fragt *Was?*, S sprechen genau nach
  Beispiel: L: *wwwwwwww – Was?*; S imitieren genau
  - „Imitatives Nachsprechen": L spricht *Was ist das? Ratet mal!* mit wechselnder Stimmlage vor, S sprechen genau nach
- in Kleingruppen an Gruppentischen spielen

HINWEIS: Dieses Ratespiel kann im Unterricht immer wieder eingesetzt werden, nicht nur zum Raten von Nomen, sondern auch zum Festigen der korrekten Schreibweise.

6 Zahlen

☞   Zahlen 1–12 einführen und einüben

CD 1/9
- die Zahlen von 1–12 hören; L schreibt gleichzeitig die Ziffern an die Tafel
- die Zahlen noch einmal hören, an der Tafel mitzeigen und nachsprechen
- die Zahlen 1–12 und die verwürfelten Zahlen hören und im Buch mitzeigen
- die verwürfelten Zahlen noch einmal hören, mitzeigen und nachsprechen
- Ausspracheschulung ohne CD (siehe auch LHB S. 6, Punkt 2.2.3):
  - *s:* wie eine Biene summen (*sechs, sieben*)
  - *z:* wie eine Schlange zischen (*zwei, zehn, zwölf*)
  - *ö:* wie ein Schaf blöken (*zwölf*)
  - *ach*-Laut: schnarchen (*acht*)
  Beispiel: L: *sssssssssss* (wie eine Biene summen) – *sechs*; S imitieren genau
- „Imitatives Nachsprechen" einiger Zahlen (siehe LHB S. 6, Punkt 2.2.3)
- Spielerische Übungsformen zum Einüben der Zahlen:
  - Zahlendiktat: L nennt Zahlen (erst langsam, dann schneller), S schreiben sie auf.
  - „Welche Zahl kommt dann?": S1 ruft eine Zahl, S2 ruft die nächste Zahl
  - „Welche Zahl kommt vorher?": S1 ruft eine Zahl, S2 ruft die vorhergehende

VORSCHLAG: Bei den letzten beiden Spielen können die sprechenden S durch die Klasse gehen und dem S, der drankommen soll, auf die Schulter tippen. Der L sollte darauf achten, dass alle S drankommen. (LERNTIPP: Wenn man sich bewegt, lernt es sich leichter.)

AB   Übung 4

7 Ein wenig Mathematik

☞   Zahlen 1–12 einüben

- L führt einige Rechenbeispiele an der Tafel durch und erklärt *plus, minus* und *ist*
- die Aufgaben ins Heft schreiben, lösen, dann vorlesen
- weitere Aufgaben im Plenum, dabei wie für Übung 6 vorgeschlagen durch die Klasse gehen; S1: *1 + 7*, S2: wiederholt und sagt die Lösung (*1 + 7 = 8*); S2 nennt die nächste Aufgabe usw. Variante: als „Ballzuwerf-Spiel": Man braucht einen sehr weichen Ball, z.B. ein Wollknäuel. S1 nennt die Aufgabe und wirft den Ball S2 an seinem Platz zu. S2 … (weiter wie oben)
- weitere Rechenaufgaben (wie oben) in Kleingruppen an Gruppentischen

8　Was ist auf der anderen Seite?

Start frei! | S. 7

☞	Zahlen 1–12 einüben
Material	ein Würfel für jeden S oder je ein Würfel für zwei S oder ein großer Würfel
➲ 8a–d	• die Aufgaben in der Klasse oder in Partnerarbeit lösen, dabei mit dem Würfel die Lösung kontrollieren (Lösung: 1 + 2 + 6 + 3 = 12)

9　Zahlenbingo

Start frei! | S. 8

☞	Zahlen 1–12 in einem Spiel anwenden
Material	zwei Würfel für jede Gruppe
	• zur Vorbereitung „Zahlenbingo" ohne Würfel im Plenum spielen (siehe LHB S. 11, Punkt 4.4) • anhand der Abbildungen im Buch die Spielregeln erkennen • Einüben: *Ich habe ...* durch „Imitatives Nachsprechen" einüben (siehe LHB S. 6, Punkt 2.2.3) • wie im Buch vorgeschlagen an Gruppentischen spielen Wichtig: Dabei wie angegeben sprechen! L geht herum und kontrolliert bzw. hilft.

10　Spiel: Schwarzer Peter

Start frei! | S. 8

☞	Zahlen 1–12 in einem Spiel anwenden
Material	Karteikarten oder festes Papier für die Herstellung von Spielkarten
	• die Bilder anschauen und versuchen, die Spielregel zu verstehen
➲ 10a	• in Gruppen Spielkarten herstellen
➲ 10b	• die Bilder anschauen; L erklärt die Spielregel in der Muttersprache • an Gruppentischen spielen Wichtig: Nur beim Ablegen von zwei zusammenpassenden Karten sprechen (*Ich habe fünf.*)! Am Ende des Spiels kann jeder S noch einmal zusammenhängend sagen, welche Karten er abgelegt hat.

Themenkreis Kennenlernen

Sprechhandlungen	auffordern; sich begrüßen; sich verabschieden; spielen; sich/jemanden vorstellen
Wortschatz	Spiele
Grammatik	Satz; W-Fragen; Ja-/Nein-Frage; Verbformen
AB	die Einstiegsseite in den Themenkreis (Seite 11) in Partnerarbeit erarbeiten; Vorschläge siehe Lösungsschlüssel, LHB S. 106

1　Comic

Modul 1 | S. 9

	HINWEIS: Überlegungen und Vorschläge zum Einsatz einer Handpuppe (HP): siehe LHB S. 3, Abschnitt „Organisation des Unterrichts" • L und HP: L: *Hallo!* – HP gähnt: *Guten Abend.* – L: *Nein, guten Morgen.* – HP: *Ach ja, guten Morgen.*
CD1/10	• den Comic hören; dabei die Bilder ansehen • den Comic noch einmal satzweise hören, unterbrechen und mit verteilten Rollen nachsprechen • die neuen Redemittel einüben („Imitatives Nachsprechen") • die Szene vor der Klasse spielen

	• den Comic still lessen
⊃ 2a	• Aufgabe noch einmal still lesen und die beiden Sätze in die Lücken einsetzen
⊃ 2b CD1/11	• den Comic hören und mitlesen • die neuen Redemittel einüben (Comic satzweise hören und nachsprechen) • fakultativ: den Comic szenisch darstellen
Differenzierung	1. Mit dem Buch in der Hand vor der Klasse („Sprechlesen"; siehe LHB S. 6, Abschnitt „Unterstützende Übungen") 2. In Partnerarbeit den Comic einüben und frei spielen

Lektion 1 Komm, wir spielen

☞ *auffordern; sich begrüßen; spielen;* Wortschatz *Spiele* und 1. Pers. Pl. von *spielen* einführen und einüben

> *1 Hallo, Hannes!*
> *2 Hören*
> *3 Nachsprechen* ⎱ *als Einheit behandeln*
> *4 Ratespiel: Pantomime*
> *6 Laute und Buchstaben: h*

VORSCHLAG: Das Lied *Hallo! Guten Morgen* (Übung 5) könnte bereits vor Übung 1 als Einstimmung in die Lektion eingeführt werden. Es würde so die ganze Lektion begleiten und könnte zu Beginn jeder Unterrichtsstunde gesungen werden.

1 Hallo, Hannes!

Lektion 1 | S. 10

	Wortschatz *Spiele* einführen und einüben
Material	nach Möglichkeit einige der Spielgegenstände (Tischtennisschläger, Würfel, Karten, Fußball) mitbringen
	• L hat 2 Würfel. L zu S1: *Komm, wir spielen.* Jeder würfelt mit einem Würfel. L: *Ich habe …* – S1: *Ich habe …* – L zu S2: *Komm, wir spielen.* S wiederholen im Chor. • das Foto mit den spielenden Kindern anschauen und in der Muttersprache darüber sprechen; L nennt auf Deutsch *Seilspringen, Fangen* (das Wort *Stelzenlaufen* sollte nicht unbedingt auf Deutsch genannt werden)
CD1/12	• die Bücher schließen, den Dialog zweimal hören; L semantisiert neue Wörter durch Pantomime oder Realien • noch einmal hören; wenn ein Spiel genannt wird, auf das dazu passende Bildchen zeigen • noch einmal hören und still mitlesen • die Bücher schließen; den Dialog Satz für Satz hören und nachsprechen L und HP: in einem Minidialog die weiteren fünf Spiele einführen: L: *Komm, wir spielen.* HP: *Was denn?* L: *Fangen?* HP: *Ach nein.* L: *Seilspringen?* HP: *Au ja!* Die S können eventuell die Rolle der HP übernehmen (*Was denn? – Ach nein. – Au ja!*)
AB	Übung 1
	HINWEIS: An dieser Stelle die Arbeit mit Übung 1 unterbrechen und wie oben erläutert zunächst in den Übungen 2, 3, 4 und 6 das Verstehen und die Aussprache der neuen Redemittel festigen.

2 Hören

☞	Hörverstehen der in Übung 1 eingeführten Spiele
CD1/13	• Alle S stehen je nach Platz in der Klasse an ihren Tischen oder im Kreis. Die Übung hören, wenn nötig die Pause verlängern, um den S genug Zeit zu lassen, jedes Spiel pantomimisch darzustellen • „Flüsterübung" (siehe LHB S. 6, Abschnitt „Unterstützende Übungen"): L nennt mit sehr leiser Stimme oder flüsternd ein Spiel; S stellen es pantomimisch dar
AB	Übung 2

3 Nachsprechen

☞	Aussprache und Intonation der neuen Redemittel einüben
➲ 3a CD1/14	• jedes Wort mehrfach mit unterschiedlicher Sprechweise hören; in den Pausen genau nachsprechen fakultativ: Übung ohne CD durch den L: Übung „Fehler erkennen" (siehe LHB S. 10, Punkt 5.2). Beispiel: L: *Würfeln – Würfeln – Bürfeln – Würfeln – Würfeln*
➲ 3b CD1/15	• L muss die Übung mit einigen Beispielen vormachen. Beispiel: *Kar-ten* – bei der betonten Silbe kräftig in die Hände klatschen, bei unbetonter/n Silbe/n mit einer Faust leicht in die Handfläche klopfen • die Übung mit der CD mehrmals durchführen • „Klatschübung zur Betonung" (siehe LHB S. 6, Punkt 2.2.2): L / später S: *b-u-u*; S raten: *Basketball* oder *Memory*® oder …

4 Ratespiel: Pantomime

☞	Wortschatz *Spiele* einüben
	• die Bildfolge im Buch anschauen und versuchen, die Spielregel zu erkennen; wenn nötig führt L mit der HP das Ratespiel ein • *Ratet mal!* über „Imitatives Nachsprechen" einüben (siehe LHB S. 6, Punkt 2.2.3) • wie in der Bildfolge dargestellt spielen
AB	Übung 3

6 Laute und Buchstaben: h

☞	Ausspracheschulung
Material	ein Papierschnipsel für jeden S
➲ 6a CD1/18	• hören und genau nachsprechen
➲ 6b	• Aufgabe wie angegeben durchführen; bei der Übung mit dem Papierschnipsel auch ein Wort, das mit *h* beginnt, sprechen, z.B. *Hallo!* • Übung „Fehler erkennen": zunächst mit dem Wort *Hallo*, dann mit *Heidi*; ebenso mit *Hannes* und *Ich habe drei.* (siehe LHB S. 10, Punkt 5.2)
➲ 6a	• Aufgabe noch einmal mit der CD durchführen
➲ 6c CD1/19	• Aufgabe wie angegeben durchführen
Differenzierung	1. hören – mitlesen – nachsprechen 2. wie in der Aufgabe vorgeschlagen: laut lesen – Kontrollhören – wiederholen
AB	Übung 6

5 Lied: Hallo! Guten Morgen!

☞	Redemittel zu *sich begrüßen* und *spielen* anwenden
	HINWEIS: weitere Vorschläge zur Arbeit mit Liedern siehe LHB S. 9, Punkt 4.1
CD1/16	• das Lied hören • das Lied hören und versuchen, die Melodie mitzusummen • das Lied hören und den Text im Buch mitlesen • die Strophen 1 und 2 hören und die beiden letzten Zeilen mitsingen • den Text im Rhythmus des Liedes sprechen • das Lied hören und versuchen, mit dem Sänger mitzusingen • Strophe 3: *Hallo, Kinder / Los, wir spielen* einüben („Imitatives Nachsprechen") • alle Strophen hören und mitsingen
CD1/17	• das Lied zur Playback-Fassung singen • neue Strophen zur Playback-Fassung singen *(Hallo, Heidi! … – Hallo, Hannes! …)*

1 Hallo, Hannes! (Fortsetzung)

	HINWEIS: Da die Aussprache intensiv eingeübt wurde, können die S jetzt den Dialog lernen und ihn später, eventuell mit dem Lied kombiniert, szenisch darstellen.
CD1/12	• die Klasse in zwei Gruppen teilen; den Dialog Satz für Satz hören und gruppenweise mit verteilten Rollen nachsprechen • wie vorher, aber dabei mitlesen • den Minidialog (siehe LHB zu Übung 1) als Satzgerüst an die Tafel schreiben und in Partnerarbeit mit allen Spielen einüben und vorspielen Tafelanschrift:  • den Dialog mit verteilten Rollen vorlesen • in Partnerarbeit einen Dialog einüben. Vorschläge siehe LHB S. 5, Punkt 2.2.1 • szenische Darstellung mit allen Spielen, dabei das Lied integrieren; immer mit der ersten Strophe des Liedes beginnen, statt *Susi* den Namen eines S einsetzen und diesen S zum Mitspielen auffordern
Differenzierung	1. mit dem Buch in der Hand („Sprechlesen", siehe LHB S. 6, Abschnitt „Unterstützende Übungen") 2. ohne visuelle Hilfe
AB	Übungen 4 und 7
AB	Übung 5 (Übung zum *ß* im Plenum durchführen)

Lektion 2 Spiele

☞ *auffordern; spielen;* Wortschatz *Spiele* und Zahlen von 1–6 anwenden

---

1 Memory®
Lektion 2 | S. 12

☞	Redemittel von Lektion 1 in einem Spiel anwenden
	Erklärung des Spiels: siehe auch LHB S. 12, Punkt 5.7
fächerübergreifend	Die S sollten hier und auch in Zukunft alle Bild- und Wortkarten möglichst selbst herstellen, da das Malen und Schreiben des neuen Wortschatzes das Lernen unterstützt. VORSCHLAG: Die S im Kunstunterricht mehrere Memory®-Spiele auf kleinen Karten für das Spiel am Tisch anfertigen lassen, außerdem ein Memory® mit großen Karten zum Spielen mit der ganzen Klasse.
➲ 1a	• in Gruppenarbeit wie angegeben Spielkarten herstellen
➲ 1b	• zur Einführung Memory® mit der ganzen Klasse spielen HINWEIS: In großen Klassen große Bildkarten verdeckt befestigen: an der Tafel mit Tesafilm, an der Magnettafel mit Magnetscheiben, an der Korktafel oder an einer Styroporplatte mit Nadeln. In kleinen Klassen stehen die S um einen großen Tisch herum oder sitzen im Kreis auf dem Boden. Wie in Aufgabe b angegeben sprechen. • jeweils 4–6 S spielen Memory® an Schülertischen (das Sprechen nicht vergessen!)
AB	Übung 1

---

2 Partnersuchspiel
Lektion 2 | S. 12

☞	Wortschatz *Spiele* einüben; das Gehör durch leises Sprechen sensibilisieren
	Erklärung des Spiels: siehe auch LHB S. 13, Punkt 5.8 • das Bild im Buch anschauen und versuchen, die Spielregel zu verstehen; wenn nötig hilft L, indem er zusammen mit einigen guten S den Spielverlauf vormacht • die Bildkarten aus dem Memory®-Spiel verteilen, durch die Klasse gehen und den S mit der entsprechenden Bildkarte suchen Wichtig: sehr leise sprechen, fast flüstern! HINWEIS: Man kann das Spiel auch in Klassen mit vielen Tischen und Stühlen spielen: Die S gehen einfach zwischen den Tischen hindurch. Bei großen Klassen muss jede Bildkarte dreimal vorhanden sein.

---

3 Abzählreim
Lektion 2 | S. 13

☞	Zahlen, *du bist …*
CD1/20	• L steht mit zwei Würfeln vor der Klasse. Den Abzählreim von der CD hören; L zeigt bei jeder Zahl auf einen S. Der letzte S kommt vor die Klasse und spielt mit L Würfeln. • wie vorher, aber S übernehmen die Rolle des L • den Reim noch einmal hören; mitlesen und nachsprechen • noch einmal hören, mitlesen und halblaut mitsprechen
AB	Übung 2

---

4 Wir spielen Würfeln
Lektion 2 | S. 13

☞	Redemittel zu *auffordern* und *spielen* einführen und einüben
CD1/21	• das Bild anschauen, den Text zudecken und den Dialog hören • den Dialog hören und mitlesen • den Dialog hören, mitlesen und satzweise nachsprechen

22

- „Imitatives Nachsprechen" (siehe LHB S. 6, Punkt 2.2.3): *Also los! – Ich habe vier. – Gewonnen!*
- den Dialog hören, mitlesen und halblaut mitsprechen
- in Partnerarbeit spielen; wie im Dialog sprechen

VORSCHLAG: Mit dem Abzählreim (Übung 3) auszuzählen, wer als Erster spielen darf

AB	Übung 7 (Laute und Buchstaben) in Einzelarbeit bearbeiten, dann im Plenum vorlesen, auf die Aussprache achten; bei Bedarf die Übung „Fehler erkennen" (siehe LHB S. 10, Punkt 5.2) einsetzen
AB	Übungen 3, 4, 5 und 6

5 *So spielen wir Kinder*

Lektion 2 | S. 13

☞	interkultureller Vergleich: So spielen Kinder
	• über die Fotos in der Muttersprache sprechen • einige Spiele auf Deutsch benennen (*Fußball, Verstecken*)
interkulturell	• mit Spielen im eigenen Land vergleichen; gleiche, ähnliche und andere Spiele benennen

Lektion 3   Planetino

☞ *sich/jemanden vorstellen, auffordern, spielen; W-Frage (Wer?), Ja-/Nein-Frage; Verbformen*
ich bin, du bist, Wer ist …?

1 *Hören: Planetino kommt*

Lektion 3 | S. 14

☞	Hörverstehen
	HINWEIS: Den S wird hier zum ersten Mal eine längere Hörgeschichte präsentiert, und zwar im natürlichen Sprechtempo mit vielen unbekannten Wörtern. Es ist für die S auf dieser Stufe nicht möglich, die Handlung nur über den Text zu verstehen. Der L sollte den S in der Muttersprache sagen, dass sie mithilfe der Geräusche, der Stimmen und der schon bekannten Wörter im Text die Reihenfolge der Bilder herausfinden können. Das ist zunächst das vordringliche Lernziel (Globalverstehen) und verlangt Lernern auf dieser Stufe eine beträchtliche Leistung ab! Darüber hinaus können die S vorsichtig zum Detailverstehen bzw. zum selektiven Hören hingeführt werden. Weitere Vorschläge für die Arbeit mit Hörtexten siehe LHB S. 5, Punkt 2.1.1. • die Bilder anschauen und in der Muttersprache Vermutungen über die Handlung anstellen • über die Figur „Planetino" sprechen; die vordere Umschlagseite des Kursbuchs anschauen • L: das Wort *Ufo* anhand der Bilder einführen
➲ 1a CD1/22	• die Geschichte mehrmals hören, dabei die Bilder anschauen; besonders auf die Geräusche achten • nach mehrmaligem Hören anhand der Bilder Vermutungen über die Reihenfolge anstellen; jeweils zwei S schreiben in Partnerarbeit ihre Lösung auf
➲ 1b	• gemeinsam die Lösung suchen; die Geschichte in Abschnitten hören, die den einzelnen Bildern zugeordnet werden können; L unterbricht jeweils nach den folgenden Aussagen: Teil 1: bis *Ich weiß nicht.* Teil 2: bis *Komm, wir holen Frau Hübner und den Direktor.* Teil 3: bis *Na, ich weiß nicht.* Teil 4: bis *Jetzt verstehe ich. Guten Morgen.* Teil 5: bis *Guten Morgen, Planetino.* Teil 6: bis *Das wird toll!* (Schluss) (Lösung: MORGEN) Variante: die Bilder kopieren und ausschneiden; noch einmal die Geschichte hören und die Bilder in die richtige Reihenfolge legen fakultativ: Hinführung zum selektiven Hören: die Geschichte in Teilen (siehe oben) hören, unterbrechen und bereits bekannte Wörter in die Klasse rufen

2 Kannst du Planetanisch?

☞   Ausspracheschulung

> HINWEIS: Auf Deutsch nennt man solche Wortfolgen „Zungenbrecher".
> • L schreibt an die Tafel: *Ist das Deutsch?*

CD1/23
- die beiden Zungenbrecher hören
- L: *Nein, das ist Planetanisch.*
- noch einmal hören, unterbrechen und versuchen, jeden der Teile nachzusprechen
- hören, mitlesen und halblaut mitsprechen
- in Partnerarbeit einüben, zuerst langsam, dann immer schneller
- das Ergebnis vor der Klasse präsentieren
- auch die angegebenen Varianten einüben und vorsprechen

fakultativ: Als Wettkampf mit der Stoppuhr: Wer spricht einen der Zungenbrecher am schnellsten?

3 Wer bin ich?

☞   1. und 2. Pers. Sing. von *sein* und W-Frage (*Wer ist ...?*) einführen und einüben

> HINWEIS: Wörter wie *hüpe küre*, *söpe töre* oder andere Teile der Zungenbrecher von Übung 2 ersetzen ein Wort, das erraten werden muss (Namen, Nomen, Verb). Solche Wörter können auch in anderen Lektionen bei Ratespielen als Platzhalter eingesetzt werden. Das Spiel von Übung 3 nennt man auf Deutsch „Blindekuh".

- Einführung *Ich bin ...*: HP zu S1: *Ich bin ... Wer bist du?* S1: ... Einige weitere Beispiele mit HP; L hilft S und flüstert: *Ich bin ...* – S: *Ich bin ...*
- Ausspracheübungen durch L:
  - *ich*-Laut: wie eine Katze fauchen, dann *ich* sprechen; oder den Zeigefinger quer vor die Zähne legen und *ich* sprechen
  - *Ich bin ... / Wer bist du denn?* durch „Imitatives Nachsprechen" einüben
  - bei Bedarf die Übung „Fehler erkennen" einsetzen (siehe LHB S. 10, Punkt 5.2)
- S1 wird von S2 mit verbundenen Augen durch die Klasse geführt; die anderen S haben ihre Plätze getauscht. S1: *Ich bin ... Wer bist du?* – S3: *Ich bin ...* usw.

CD1/24
- die Bilder anschauen und die beiden Dialoge hören
- hören und mitlesen
- hören, mitlesen und halblaut mitsprechen
- Dialog 1 einüben und mit der Klasse spielen
- später ebenso mit Dialog 2

> HINWEIS: Bei wenig Platz in der Klasse wird ein S mit verbundenen Augen durch die Klasse geführt. Ansonsten sollte man hin und wieder im Pausenhof „Blindekuh" spielen.

AB   Übungen 1 und 2

4 Lesen: Wir spielen

☞   Leseverstehen

> VORBEMERKUNG: Dieses ist die erste längere Lesegeschichte. Sie enthält fast ausschließlich bekanntes Sprachmaterial. Die wenigen neuen Wörter (*Also gut. / jetzt / In ... ist das so.*) können aus dem Kontext oder über die Bilder verstanden werden. Das wichtigste Lernziel ist das Verstehen des Textes über stilles Lesen. Vorlesen (lautes Lesen) muss sehr vorsichtig vorbereitet werden, damit die gute Aussprache auch beim Vorlesen erhalten bleibt. Weitere Vorschläge für die Arbeit mit Lesetexten siehe LHB S. 7, Punkt 2.3.1.

- die Bilder anschauen und in der Muttersprache über die Situation sprechen; eventuell zu einigen Bildern einfache Aussagen auf Deutsch machen; Beispiel: Bild L: *Planetino spielt Karten.*
- den Text still lesen und die Bilder anschauen

Start Frei | Einführung
L4 L3 L2 L1 Modul 1
L8 L7 L6 L5 Modul 2
L12 L11 L10 L9 Modul 3
L16 L15 L14 L13 Modul 4
L20 L19 L18 L17 Modul 5
Wortliste | Transkriptionen | Lösungsschlüssel | Tests | Feste im Jahr | Theater

• den Text noch einmal still lesen und in Partnerarbeit die Bilder zuordnen
  (Lösung: PLANETINO)
Variante: L kopiert die Seite und schneidet die Bilder und die zugehörigen Dialogteile als Satzstreifen aus. Jeweils zwei S bekommen Streifen und Bilder. Sie lesen den Text auf den Satzstreifen still und versuchen in Partnerarbeit, die Bilder dem Text zuzuordnen.
• Kontrolle: L liest den Text mit Pausen vor; S nennen das entsprechende Bild
• Übungen zur Steigerung der Lesefertigkeit (siehe auch LHB S. 8, Punkt 2.3.3):
  - L liest den Text satzweise vor, S sprechen mit verteilten Rollen nach
  - Wenn L Ausspracheprobleme feststellt, die Übung „Imitatives Nachsprechen" (siehe LHB S. 6, Abschnitt „Unterstützende Übungen") einsetzen
  - „Flüsterübung" (siehe LHB S. 6, Abschnitt „Unterstützende Übungen")
  - HP liest den ganzen Text vor und macht Fehler; S passen genau auf und korrigieren sofort; anschließend liest HP den Satz noch einmal richtig.
  - „Tamburin-Spiel": L liest einen Satz, lässt aber ein Wort weg und schlägt stattdessen ein Tamburin, hustet oder schnippt mit den Fingern. Beispiel: L: *Hallo, wer ____ du denn?* – S suchen den Satz und lesen ihn vor. (siehe auch LHB S. 6, Abschnitt „Unterstützende Übungen")
  - „Wer sagt das?": L / später S liest einen Satz; S suchen den Satz und nennen den Sprecher
  - „Satzanfang": L / später S: *Jetzt … .* – S suchen den Satz und lesen ihn vor: *Jetzt ich.*
  - „Wie heißt der Satz?": L / später S ruft ein Wort aus einem Satz (möglichst mit neuem Wortschatz!) Beispiel: *dran* – S2: *Du bist dran.* Dabei mit dem Finger auf den Satz zeigen.
HINWEIS: Diese und ähnliche Übungen sollten auf mehrere Stunden verteilt werden. Sie können auch später immer wieder eingesetzt werden.
• in Partnerarbeit mit verteilten Rollen den Text einüben und später vorlesen

5 Drei kleine Geschichten
Lektion 3 | S. 16

☞	Redemittel der Lektion anwenden
➲ 1b	• in Partnerarbeit den Ablauf der Übung klären und die zusammenpassenden Teile finden; L geht durch die Klasse und hilft, wo nötig, durch Hinweis auf die Zeichen, die den Sprechern zugeordnet sind, oder durch Hinweis auf die Rechenhilfe (Lösung: 1 + 6 = 7 / 2 + 5 = 7 / 3 + 4 = 7) • die kleinen Geschichten mit verteilten Rollen vorlesen
➲ 1b	• Aufgabe wie angegeben durchführen
AB	Übung 3

6 Ratespiel: Wer ist das?
Lektion 3 | S. 16

☞	Redemittel zu *miteinander spielen* anwenden; 3. Pers. Sing. von *sein* einführen und einüben
	• die beiden oberen Bilder anschauen; jeder S malt ein Bild von sich auf ein großes Blatt • jeder S zeigt sein Bild und sagt: „*Das bin ich.*" • L führt mit HP das Wort *falsch* ein: L und HP rechnen; L: *4+7?* – HP: *11* – L: *Richtig!* – L: *5–3?* – HP: *1* – L: *Falsch.* Die Klasse spricht nach: *falsch.* Weitere Rechenbeispiele mit HP, Klasse ruft *richtig* oder *falsch*

CD1/25	• die Texte zudecken, die Bilder ansehen und beide Dialoge hören
	 • die Dialoge satzweise hören, unterbrechen und nachsprechen
	 • Ausspracheschulung ohne CD:
	   - *w*: Wind nachahmen – *Wer? / Wer ist das?*
	   - *sch*: Dampflokomotive nachahmen – *falsch*
	   - *ich*-Laut: wie eine Katze fauchen oder einen Finger quer vor die Zähne halten – *richtig*
	 • die Dialoge hören und still mitlesen
	 • noch einmal hören, mitlesen und halblaut mitsprechen
	 • die Dialoge wie gewohnt in Partnerarbeit einüben (siehe LHB S. 5, Punkt 2.2.1)
	 • Ratespiele mit den Selbstporträts wie auf den Bildern dargestellt in der Klasse spielen

fakultativ: Alle Zeichnungen hängen an der Tafel/Seitenwand. L/HP zeigt auf ein Bild: *Das ist Sabine.* – S: *Ja, richtig. / Nein, falsch. Das ist Steffi.* Oder *Nein, das bin ich.*
fakultativ: „Das 6-Richtige-Spiel" (siehe auch LHB S. 10, Punkt 5.1): Die Zeichnungen hängen an der Seitenwand/Tafel. S1 zeigt nacheinander auf sechs Bilder und fragt jeweils: *Wer ist das?* S2 muss sechsmal raten: *Das ist …* S1 antwortet: *Ja, richtig. / Nein, falsch.* S3 notiert an der Tafel für jede richtige Antwort einen Punkt, z.B. durch Sternchen (***). Wer schafft sechs Punkte?

| AB | Übung 4 |

7 Laute und Buchstaben: ü

Lektion 3 | S. 16

☞	Ausspracheschulung
	• den Buchstaben *ü* groß an die Tafel schreiben
➲ 7a/b CD1/26	• das Bild anschauen; die Sirene des Feuerwehrautos imitieren; L macht vor, S sprechen nach: Wortfolge: *Tatü – Würfeln; Tatü – Günter*; L spricht vor, S sprechen im Chor oder in kleinen Gruppen nach • mehrmals hören und genau nachsprechen; auf die Intonation achten Hinweis: Einzelne S nur nachsprechen lassen, wenn L weiß, dass sie keine Fehler machen! Niemanden vor der Klasse blamieren.
➲ 7c CD1/27	• die Übung „Fehler erkennen" durchführen
➲ 7d CD1/28	• Aufgabe wie angegeben durchführen
AB	Übung 5

Lektion 4 Guten Tag – Auf Wiedersehen

| ☞ | sich begrüßen, sich verabschieden, spielen; Ja-/Nein-Fragen und W-Fragen (*Was?*);
1. Pers. Sing. von *dürfen*, 2. Pers. Pl. von *machen* |

1 Hören: Guten Morgen, guten Tag!

Lektion 4 | S. 17

☞	Hörverstehen; Redemittel zu *sich begrüßen* und *sich verabschieden* einführen und einüben
	• die Bilder anschauen und in der Muttersprache darüber sprechen
➲ 1a CD1/29	• die Szenen einzeln hören und das entsprechende Bild suchen • die Szenen noch einmal hören und in Partnerarbeit die Reihenfolge der Bilder aufschreiben (Lösung: Guten MORGEN)
➲ 1b	• L liest die Sätze vor, S sprechen im Chor nach
CD1/29	• die Szenen noch einmal einzeln hören, die Sätze von Aufgabe b heraushören und den Bildern zuordnen
➲ 1c CD1/30	• durch „Imitatives Nachsprechen" die neuen Redemittel einüben
AB	Übungen 1 und 2
➲ 1d Portfolio	• einen Comic zeichnen, in dem sich Personen begrüßen oder verabschieden; passende Redemittel in die Sprechblasen schreiben
fächerübergreifend	Diese Arbeit für das Portfolio kann auch im Kunstunterricht gemacht werden.

Start Frei | Einführung

L4 L3 L2 L1 Modul 1 L8 L7 L6 L5 Modul 2 L12 L11 L10 L9 Modul 3 L16 L15 L14 L13 Modul 4 L20 L19 L18 L17 Modul 5 | Theater | Feste im Jahr | Tests | Lösungsschlüssel | Transkriptionen | Wortliste

2 Lied: Guten Morgen ... Gute Nacht!
Lektion 4 | S. 17

☞	Redemittel zu *sich begrüßen* und *sich verabschieden* anwenden
Material	unlinierte Karteikarten oder festes Papier für Bildkarten
CD1/31	• das Lied hören und im Buch mitlesen • die Strophen 1 und 2 hören und die Melodie mitsummen • alle Strophen hören, jeweils die letzte Zeile (*La-la-la ...*) mitsingen • das Lied einüben; Vorschläge siehe LHB S. 9, Punkt 3.1
CD1/32	• alle Strophen zur Playback-Fassung singen
fächerübergreifend	vereinfachte Bildkarten zu den Liedstrophen herstellen – falls möglich, im Kunstunterricht; es reicht aus, wenn man am Stand von Sonne und Mond die Tageszeit erkennen kann • Bewegungsspiel: Die Hälfte der S hat Bildkarten zu den Liedstrophen. Alle S gehen durch die Klasse. Wenn zwei S sich treffen, zeigt einer die Bildkarte als Sprechimpuls, z.B. S1: *Guten Abend, Katrin.* – S2: *Guten Abend, Marco.*
interkulturell	In Deutschland sagt man *Guten Morgen – Guten Tag – Guten Abend*; und bei euch? VORSCHLAG: die 1. und 4. Strophe eine Zeit lang täglich zur Begrüßung und zum Abschied singen

3 Darf ich mitspielen?
Lektion 4 | S. 18

☞	Ja-/Nein- und W-Fragen (*Was?*); 1. Pers. Sing. von *dürfen* und 2. Pers. Pl. von *machen* einführen und einüben
	• die in Lektion 1 gelernten Spiele wiederholen; L / dann S stellen pantomimisch ein Spiel dar (siehe Lektion 1, Übung 4); L / ein S schreibt die Wörter auf Zuruf an die Tafel Variante: über das Spiel „Buchstabenspinne" (siehe Kursbuch „Start frei", Übung 5) die Wörter reaktivieren • Einführen: *Was macht ihr denn da?* – *Darf ich mitspielen?* L+S spielen Würfeln. – HP: *Was macht ihr denn da?* – L+S: *Wir spielen Würfeln.* Ebenso mit: *Darf ich mitspielen?*
CD1/33+34	• die Bilder anschauen, die Texte zudecken und die beiden Dialoge hören • „Imitatives Nachsprechen" der neuen Redemittel: *Was macht ihr denn da?* – *Darf ich mitspielen?* – *Ja, klar.* (siehe auch LHB S. 6, Punkt 2.2.3) • die beiden Dialoge hören und mitlesen
CD1/35	• Dialog c hören und mitlesen • „Imitatives Nachsprechen" der neuen Redemittel: *Was ... denn?* – *Nichts.* – *Wie langweilig.* Die Bedeutung durch Gestik verdeutlichen • die drei Dialoge satzweise hören und nachsprechen • noch einmal hören, mitlesen und halblaut mitsprechen • einen Dialog in Partnerarbeit einüben und mit verteilten Rollen vorlesen • szenische Darstellung einzelner Dialoge
Differenzierung	1. „Sprechlesen" (siehe LHB S. 6, Abschnitt „Unterstützende Übungen") 2. ohne visuelle Hilfe • Dialoge mit weiteren Spielen einüben und szenisch darstellen
AB	Übungen 3, 4 und 5

4 Wer ist das?
Lektion 4 | S. 18

☞	Leseverstehen
	Vorschläge zur Arbeit mit Lesetexten: siehe LHB S. 7, Punkt 2.3.1 VORBEMERKUNG: Die S haben es hier zum ersten Mal mit einem Lesetext zu tun, der viele unbekannte Wörter enthält. Der L sollte den S in der Muttersprache erklären, dass sie auf die Wörter achten müssen, die sie schon kennen und dass sie die Bilder genau anschauen sollen. Dann können sie schon eine ganze Menge verstehen. Der L darf nicht von den S fordern, den Text in allen Einzelheiten zu verstehen!

- S schauen die Bilder an und lesen den Text still.
- L gibt Tipps, wie man unbekannte Wörter erschließen kann:
  - *Rätsel – Ratespiel* (Verwandtschaft mit einem bereits gelernten Wort)
  - *Clown* – siehe Foto
  - *Herzlichen Glückwunsch* – durch Spielszene: Zwei S spielen Würfeln. L: *Wer hat gewonnen?* – S1: *Ich.* – L schüttelt dem Sieger die Hand und sagt *Herzlichen Glückwunsch!*

  HINWEIS: Nicht nachsprechen lassen, denn die Wörter gehören ja nicht zum Lernwortschatz. Aus diesem Grunde sollte man Lesetexte mit viel passivem Wortschatz auch nicht laut lesen lassen. Nur L sollte eventuell vorlesen.
- L liest die drei Fragen vor; S suchen die Antwort im Text. Für die Antworten reicht der bisher gelernte Wortschatz:

  Frage 1: *Ist das Herr Weiß?* – *Nein, das ist (Clown) Pipo.*

  Frage 2: *Ist das Heft Nummer 11?* – *Nein, 12.*

  Frage 3: *Wer hat in Nummer 11 gewonnen?* – *Hanno Malz.* (Hier ist die Aussprache nicht so schwierig.)

  fakultativ: Das Selbstvertrauen der Kinder wird sehr gestärkt, wenn man sie auffordert, alle Wörter im Text zu nennen, die sie schon kennen!

5 Comic: Fußball

Lektion 4 | S. 19

☞	die Redemittel der Lektion anwenden; Hörverstehen
	• die Erwartungshaltung der S wecken: die Bilder ansehen und in der Muttersprache Vermutungen über die Handlung äußern, aber nicht zu ausführlich darüber sprechen; keine Bildbeschreibung in der Muttersprache verlangen!
⮎ 5a	• den Text zudecken, die Bilder anschauen und im Rahmen der bereits gelernten Redemittel formulieren, was die Personen sagen könnten; Beispiele: Bild 1: *Was macht ihr denn da?* – Bild 4: *Darf ich mitspielen?* – *Na, klar.*
⮎ 5b	• die Dialoge in den Sprechblasen still lesen und den Bildern zuordnen (Lösung: KINDER)
⮎ 5c CD1/36	• den Text zudecken, nur die Bilder anschauen und die Geschichte hören • die Geschichte noch einmal szenenweise hören, jeweils unterbrechen und die Zuordnung Text-Bild überprüfen
⮎ 5d	• die Dialoge in Vierergruppen einüben und szenisch darstellen • gemeinsam in der Muttersprache überlegen, wie die Geschichte weitergehen könnte
AB	***Weißt du das noch?*** (S. 21) in Partnerarbeit bearbeiten
AB/Portfolio	• ***Das habe ich gelernt*** (S. 23/24) wie im AB S. 6 vorgeschlagen für das Portfolio bearbeiten; wenn nötig bei ***Das kann ich schon*** (KB S. 20) nachschauen. Beim ersten Mal sollte der L die Bearbeitung der Seite erklären. • den ***Grammatik-Comic*** (S. 25) für das Portfolio bearbeiten; wenn nötig bei ***Das kann ich schon*** (Kursbuch S. 20) nachschauen
AB/Wortliste	Arbeit mit der Wortliste zu den Lektionen 1–4 (Seite 22) VORBEMERKUNG: siehe LHB S. 9, Punkt 3 • Übung 1: L / später S (mit dem Buch in der Hand) nennt ein Wort / eine Wortfolge aus der Wortliste und die Nummer der Lektion: Beispiel: L: *spielen, Lektion 4;* alle S suchen die Stelle im Kursbuch. Ein S nennt Seite und Übung und liest den Satz / die Zeile vor oder spricht auswendig. • Übung 2: alle Spiele von Lektion 1 untereinander an die Tafel schreiben; weiterhin auf Vorschlag des L Sätze aus der Wortliste, die man in Aussagen oder Dialogen mit dem Wortschatz *Spiele* kombinieren kann

Tafelanschrift:

Fußball	Du bist dran.	Hallo!
Verstecken		Wie langweilig!
Würfeln	Ja, klar.	
Fangen		Was macht ihr denn da?
Basketball	Wer bist du denn?	
Tischtennis		Also los!
Karten	Wer ist daran?	
Memory®		Was denn?
Seilspringen	Wir spielen …	
Schwarzer Peter		Darf ich mitspielen?

- in Klassenarbeit Aussagen oder kürzere und längere Dialoge machen
  Beispiele: - Aussage: *Wir spielen Karten.*
              - Kurzer Dialog: ◆ *Wir spielen Fangen.*
                          ● *Darf ich mitspielen?*
                          ◆ *Ja, klar.*
              - Langer Dialog: ☼ *Hallo! Was macht ihr denn da?*
                          ❅ *Wir spielen.*
                          ☼ *Was denn?*
                          ❅ *Verstecken.*
                          ☼ *Verstecken. Wie langweilig!*
- ebenso in Kleingruppen oder in Partnerarbeit
- Übung 3: das „Spiel für alle Fälle" (Kursbuch S. 100) einsetzen; Erklärung des Spielplans siehe LHB S. 14, Punkt 5.9

| Material | die Bildkarten zu Lektion 2 Übung 1, Würfel und Figuren |

- Die Bildkarten mischen und umgedreht auf einen Stapel legen. In 4er-Gruppen spielen. S1 würfelt, kommt auf ein farbiges Feld und nimmt eine Bildkarte vom Stapel. S1 liest z.B. das Wort *Basketball* und sagt: *Komm, wir spielen Basketball.* oder *Basketball. Wie langweilig!* Die Mitspieler sind Schiedsrichter. Wer einen Fehler macht, muss einmal aussetzen.

Themenkreis Meine Familie

Sprechhandlungen	jemanden vorstellen; spielen; fragen und antworten; reagieren; Personen beschreiben
Wortschatz	Familie und so weiter; Zahlen von 13–20
Grammatik	W-Fragen (*Wer? Woher? Wo? Was?*); Ja-/Nein-Frage; Possessivartikel im Nominativ (*mein/meine – dein/deine*); Personalpronomen *er/sie*; Modalverben *möchte-* und *dürfen*
AB	die Einstiegsseite in den Themenkreis (Seite 27) in Partnerarbeit erarbeiten

1 Comic

Modul 2 | S. 21

- L bringt ein Foto von seinen Eltern mit. L: *Das ist mein Vater, mein Papa.* Eventuell auch schon als Vorentlastung für Lektion 5: *Und das ist meine Mutter, meine Mama.*
- den Comic still lesen und das fehlende Wort ergänzen (siehe Sprechblasen unten).

➲ 1b CD1/37   Comic 1 hören und mitlesen
- noch einmal hören, nach jedem Bild unterbrechen und mit verteilten Rollen nachsprechen

2 Comic

- L lädt S / HP mit einem Würfel zum Mitspielen ein: *Möchtest du mitspielen?*
- die Sätze in den Sprechblasen lesen, dann den Comic lesen und die fehlenden Wörter/Sätze einsetzen; L: eventuell das Wort *Freund* erklären

⮕ 2b CD1/38	Comic 2 hören und mitlesen
	• Ausspracheübung zu *möchtest ...*: siehe Vorschläge zum *ich*-Laut, LHB S. 7, Punkt 2.2.3)
	• Comic 2 noch einmal hören; nach jedem Bild stoppen und mit verteilten Rollen nachsprechen
	fakultativ: den Dialog in Partnerarbeit einüben und szenisch darstellen

Lektion 5   Meine Mutter

☞	Wortschatz *Familie*; Zahlen 1–6; W-Fragen (*Wer? Woher?*); Possessivartikel im Nominativ (*mein/meine – dein/deine*); Personalpronomen *sie*

1 Hallo; Mama!
2 Lied: 1, 2, 3 und 4, 5, 6   } *als Einheit behandeln*
5 Nachsprechen

1 Hallo, Mama

☞	Wortschatz *Familie*; W-Fragen (*Wer?Woher?*) und Possessivartikel im Nominativ (*mein/meine – dein/deine*) einführen und einüben
CD1/39	• den Text zudecken; das Bild anschauen und den Dialog hören
	• den Text noch einmal hören und auf die jeweiligen Sprecher zeigen
	• den Text hören und mitlesen
	• durch „Imitatives Nachsprechen" (siehe LHB S. 6, Punkt 2.2.3) einüben: *Hallo, Mama. – Das ist meine Mutter. – Wie bitte? – Und woher kommst du? – Na, kommt mal rein.*
	• bei Bedarf die Übung „Fehler erkennen" (siehe LHB S. 10, Punkt 5.2) für *Wie? Wer? Woher?* einsetzen
	• den Dialog zeilenweise hören und mit verteilten Rollen nachsprechen
	• den Dialog hören, mitlesen und halblaut mitsprechen
AB	Übung 1

2 Lied: 1, 2, 3 und 4, 5, 6

☞	W-Frage (*Wo?*), Personalpronomen *sie* einführen und einüben; Zahlen von 1–6 wiederholen
	• Alle S machen die Augen zu. L bittet einen S (z.B. Sabine), sich zu verstecken. Augen auf! L spricht die leicht veränderte Liedstrophe mit entsprechender Gestik, Mimik und Intonation: *1, 2, 3 und 4, 5, 6. Wo ist denn Sabine?* *Sie ist nicht hier, sie ist nicht da.* *Ach, da ist sie ja.*
CD1/40	• das Lied hören, das Familienbild im Buch anschauen und auf die Mutter zeigen
	• „Imitatives Nachsprechen": *Sie ist nicht hier. – Sie ist nicht da.*
AB	Übung 2

5 Nachsprechen

☞	schwierige Laute (*ei, langes i, h, ch*), Wörter und Sätze einüben
CD1/44	• Übung 1: die Laute und Wörter hören und genau nachsprechen
	• Übung 2: die Sätze hören und mit unterschiedlicher Intonation nachsprechen

2 Lied: 1, 2, 3 und 4, 5, 6 (Fortsetzung)

CD1/40	• das Lied hören und mitsummen; dann hören und mitsingen
CD1/41	• die Strophe zur Playback-Fassung singen fakultativ: eigene Familienfotos mitbringen oder ein Familienbild malen (Vorsicht bei schwieriger Familiensituation!). Ein S steht mit seinem Foto/Bild vor der Klasse. Alle S: *Wo ist denn deine Mutter?* S1: *Hier/Da* und zeigt auf seine Mutter. Variante: Alle S singen das Lied zur Playback-Fassung, S1 zeigt auf seinem Bild/Foto mit.

1 Hallo, Mama! (Fortsetzung)

	• den Dialog einüben (Vorschläge siehe LHB S. 5, Punkt 2.2.1)
CD1/41	• das Lied zur Playbackfassung singen, dann den Dialog szenisch darstellen
Differenzierung	1. mit verteilen Rollen vorlesen 2. mit verteilten Rollen „Sprechlesen" (siehe LHB S. 6, Abschnitt „Unterstützende Übungen") 3. ohne visuelle Hilfe
AB	Übungen 3 und 4

3 Hörgeschichte

☞	Hörverstehen
⮌ 3a CD1/42	• die Bilder anschauen; darüber sprechen, wer auf den Bildern zu sehen ist und was die Personen machen • die Bilder anschauen und die Geschichte hören
⮌ 3b	• die Geschichte noch einmal hören und in Partnerarbeit die Bilder ordnen; dann kontrollieren (Lösung: F R EU N D) Variante: die Reihenfolge der Bilder auf folgende Weise festlegen: im Plenum die Geschichte hören; sobald ein S ein Schlüsselwort / einen Schlüsselsatz hört, der zu einem Bild passt, ruft er *Stopp!* L unterbricht mit der Pause-Taste – S nennt das Wort und das zugehörige Bild.

	Schlüsselwörter /Schlüsselsätze:
	• Bild F: *Ich weiß nicht.* (dazu die Geste mit der Hand)
	  Bild R: *2 plus 2= 4 Spieler*
	  Bild EU: *Fußball*
	  Bild N: *Computer – Ufo*
	  Bild D: *Würfeln*
	• noch einmal einzeln die Textteile zu den Bildern hören; unterbrechen bei:
	  Ende Bild F: *Ich weiß nicht.*
	  Ende Bild R: *Ach ja, dann geht das nicht.*
	  Ende Bild EU: *Nein, ich möchte jetzt nicht Fußball spielen.*
	  Bild D: bis zum Schluss hören
	• weitere Vorschläge für die Arbeit mit Hörgeschichten: siehe LHB S. 5, Punkt 2.1.1

⮌ 3c	• die Wörter lesen, das Wort *Antenne* erklären (auf die Abbildung von Planetino hinweisen) und Wortkarten herstellen, jedes Wort zweimal. Bei großen Klassen noch weitere Wörter aus dem Hörtext je zweimal auf Karten schreiben; Vorschlag: *Was? / ich / wir / nicht / Möchtest du?* fakultativ: vorbereitendes Spiel: S sitzen an ihren Tischen. Jeder S hat eine Wortkarte. Die Geschichte hören; wer sein Wort hört, hebt die Karte hoch.
⮌ 3d CD1/42	• „Platzwechselspiel": die Bilder ansehen und die Spielregel in der Muttersprache erklären (siehe auch LHB S. 13, Punkt 5.8) • wie im Buch abgebildet spielen; bei Platzmangel auf dem Pausenhof spielen; L kann dann die Geschichte vorlesen

Wortliste | Transkriptionen | Lösungsschlüssel | Tests | Feste im Jahr | Theater | L20 L19 L18 L17 Modul 5 | L16 L15 L14 L13 Modul 4 | L12 L11 L10 L9 Modul 3 | L8 L7 L6 L5 Modul 2 | L4 L3 L2 L1 Modul 1 | Start Frei | Einführung

31

4 Würfeln und Zeichnen Lektion 5 | S. 23

☞	bekannte Redemittel anwenden
	• die Bilder anschauen und die Spielregel erkennen; *Ich darf zeichnen.* über das Bild erklären
CD1/43	• die Spielszene hören und mitlesen • über „Imitatives Nachsprechen" die Redemittel sehr gut festigen, da die S später ohne Kontrolle des L spielen und sprechen • besondere Ausspracheübung für den *ich*-Laut (*ich / zeichnen / Ich darf zeichnen*); Vorschläge siehe LHB S. 6, Punkt 2.2.3) • das Spiel mit wechselnden Partnern spielen
AB	Übung 5

Lektion 6   Meine Geschwister

☞	jemanden vorstellen; Wortschatz *Familie*; W-Frage (*Wie alt ...?*); Personalpronomen *er*

> *1 Meine Schwester*
>
> *4 Nachsprechen*
>
> **} als Einheit behandeln**

---

1 Meine Schwester Lektion 6 | S. 24

☞	Wortschatz *Familie* einführen und einüben
	• L: *Meine Schwester heißt ...* L zeigt auf S, von dem er weiß, dass er eine Schwester hat L: *Deine Schwester heißt ... Richtig?* Eventuell weitere Beispiele durch L • den Text zudecken; das Bild anschauen und die beiden bekannten Personen benennen (Steffi und Planetino)
CD1/45	• L: *Und wer ist das?* – Das Bild anschauen, den Dialog hören und den Namen der Schwester nennen • noch einmal hören, das Bild ansehen und auf die jeweiligen Sprecher zeigen • den Dialog hören und mitlesen • den Dialog zeilenweise hören und nachsprechen

---

4 Nachsprechen Lektion 6 | S. 24

☞	Ausspracheschulung der Redemittel von Übung 1
CD1/49	• Übung 1: Laute und Wörter hören und genau nachsprechen • Übung 1 noch einmal hören und nachsprechen; dann Übung 2 (Sätze) hören und genau nachsprechen • Ausspracheschulung ohne CD: Übung „Fehler erkennen" (siehe LHB S. 10, Punkt 5.2) mit den Wörtern *Schwester – du möchtest – du möchtest – wo – zwei – zwölf – zwölf*

---

1 Meine Schwester (Fortsetzung) Lektion 6 | S. 24

CD1/45	• den Dialog zeilenweise hören und mit verteilten Rollen nachsprechen • den Dialog hören, mitlesen und halblaut mitsprechen • den Dialog in der Dreiergruppe einüben und vorlesen
AB	Übung 1

2 Wir spielen Würfeln und Zeichnen

Lektion 6 | S. 24

☞   bekannte Redemittel zu *spielen* und bekannte Rechenoperationen anwenden

	• bekannte Rechenoperationen wiederholen (siehe Kursbuch Seite 7 Übung 7); Durchführung der Übung als Kette durch die Klasse: L-S1 / S1-S2 / S2-S3 / … Variante: „Das 6-Richtige-Spiel" (siehe LHB S. 10, Punkt 5.1) mit Rechenoperationen
CD 1/46	• die Spielszene hören; dabei die Bilder anschauen • die Szene noch einmal hören und den Text mitlesen • hören und nachsprechen • in Zweiergruppen spielen; Vorschlag für das Zeichnen: S können ein Haus aus Strichen wie in Lektion 5 Übung 4 zeichnen. Aber natürlich können sich S auch eine andere Zeichnung ausdenken.
AB	Übung 2 (später Aufgabe und Lösung vorlesen)

3 Lied: 7, 8, 9 und 10, 11, 12

Lektion 6 | S. 24

☞   bekannte und neue Redemittel im Lied einüben

CD1/47	• das Familienfoto anschauen, das Lied hören und auf die Schwester zeigen • das Lied einüben (Vorschläge siehe LHB S. 9, Punkt 4.1)
CD1/48	• die Strophe zur Playback-Fassung singen fakultativ: das Lied und den Dialog (Übung 1) in der szenischen Darstellung miteinander verknüpfen

> 5 Lied: 13, 14, 15, 16
 6 Mein Bruder
 7 Nachsprechen
 8 Laute und Buchstaben: *ei*   }   **als Einheit behandeln**

5 Lied: 13, 14, 15, 16

Lektion 6 | S. 25

☞   Wortschatz *Familie* erweitern; Personalpronomen *er* und die Zahlen 13–16 einführen und einüben

	• Einführung: Ein Junge versteckt sich. L spricht den Liedtext leicht abgeändert vor und zeigt bei *Ach, da ist er ja!* auf den Jungen.
CD1/50	• das Familienbild anschauen, das Lied hören und auf den Bruder zeigen • L: *Mein Bruder heißt …* Dann zu einem S: *Dein Bruder heißt … Richtig?* • die Zahlen 13 bis 16 an die Tafel schreiben; das Lied noch einmal hören und auf die Zahlen zeigen • die Zahlen durch „Imitatives Nachsprechen" einüben (siehe LHB S. 6, Punkt 2.2.3); auf die Dehnung des Vokals bei *zehn* achten • das Lied einüben (Vorschläge siehe LHB S. 9, Punkt 4.1)
CD1/51	• das Lied zur Playbackfassung singen

6 Mein Bruder

Lektion 6 | S. 25

☞   neue Redemittel einführen und einüben

	• Bild 1 ansehen und die Personen benennen; L: *Und das ist Steffis und Evas Bruder. Er heißt Arno. Er ist 15.* fakultativ Vorentlastung: HP ist neugierig und fragt S1: *Wie heißt du?* S1: … (nur die Kurzantwort); HP fragt mehrere S • Frage-Antwort-Kette: L fragt S1: *Wie alt bist du? Acht? Neun?* – S1: *Acht.* Die Frage durch Vor- und Nachsprechen einüben, dann Frage-Antwort-Kette durch die Klasse. Variante: *Ich bin acht. Und du?* – *Auch acht.* Auch als „Ballzuwerf-Spiel" (siehe Vorschlag im LHB zu „Start frei" Übung 7)

CD1/52	• den Text zudecken, die Bilder anschauen und den Dialog hören
	• den Dialog noch einmal hören und auf die Sprecher zeigen
	• hören und mitlesen
	• L: die Redewendungen *Nein, ich habe keine Lust. / So ein Quatsch!* durch Mimik und Gestik verdeutlichen und eventuell erklären; durch „Imitatives Nachsprechen" einüben

7 Nachsprechen
Lektion 6 | S. 25

☞	Ausspracheschulung (lange Vokale); Zahlen und neue Satzstrukturen einüben
CD1/53	• Übung 1: lange Vokale üben; die Dehnung der Vokale durch Handzeichen verstärken (siehe die Abbildungen im Kursbuch in Lektion 11 Übung 4)
	• Übung 1 noch einmal hören und nachsprechen (Handzeichen zur Dehnung mitmachen!), dann Übung 2: Zahlen von 10–16 hören und nachsprechen
	• die Übungen 1 und 2 noch einmal hören und nachsprechen, dann Übung 3: Sätze aus dem Dialog (Übung 6 „Mein Bruder") hören und nachsprechen
	fakultativ ohne CD: Übung „Fehler erkennen" zu Wörtern mit langen Vokalen (siehe LHB S. 10, Punkt 5.2)
	HINWEIS: Wenn ein S später Aussprachefehler bei Wörtern mit langen Vokalen macht, den S nicht verbal auf den Fehler hinweisen, sondern nur das Handzeichen zur Dehnung machen. Das ist eine freundliche Art der Korrektur, die der S sofort versteht. Und er wird dann gern das Wort noch einmal richtig sprechen.

6 Mein Bruder (Fortsetzung)
Lektion 6 | S. 25

CD1/52	• den Dialog zeilenweise hören und in Gruppen nachsprechen
	• noch einmal hören, mitlesen und halblaut mitsprechen
	• L/HP zeigt auf einen S und fragt: *Wer ist das denn?* Alle antworten. L/HP: *Wie alt ist er denn?* Der S, der am schnellsten antwortet, macht weiter. Ebenso mit Schülern: *Wie alt ist sie denn? …*
	• Einüben der Personalpronomen *er* und *sie*: Alle S in der Klasse tauschen die Plätze. L/später S: *Wo ist denn …? – Ach, da ist er/sie ja.*
	• den Dialog in Partnerarbeit einüben, dann vorlesen und später szenisch darstellen
Differenzierung	1. Vorlesen
	2. „Sprechlesen" mit dem Buch in der Hand
	3. frei
	• eventuell das Lied in die szenische Darstellung integrieren
	fakultativ: S bringen Fotos ihrer Geschwister mit.
	S1: *Wer ist das denn?*
	S2: *Meine Schwester. Sie heißt …*
	S1: *Wie alt ist sie denn?*
	S2: *Zwölf.*
	oder
	S1: *Ist das dein Bruder?*
	S2: *Ja. Er heißt …*
	S1: *Wie alt ist er denn?*
	S2: *…*
	oder
	S1: *Ist das dein Bruder/deine Schwester?*
	S2: *Ja.*
	S1: *Wie heißt er/sie denn?*
	….
AB	Übungen 4, 5 und 6

8 Laute und Buchstaben: *ei*

Lektion 6 | S. 25

☞   Ausspracheschulung; Wort- und Schriftbild kontrastiv bewusst machen

➲ 8a CD1/54	• wie angegeben durchführen • alle Wörter an die Tafel schreiben, das *ei* unterstreichen oder mit einem Kreis markieren; noch einmal hören und an der Tafel mitlesen
➲ 8b CD1/55	• wie angegeben durchführen Variante: die Wörter und Sätze an die Tafel schreiben; dann zuerst hören und mitlesen; anschließend wie in Aufgabe b angegeben
AB	Übung 7

9 Lesen: Planetino schickt eine E-Mail

Lektion 6 | S. 26

☞   Leseverstehen

	• die verwürfelten Sätze still lesen; L liest die beiden Teile mit dem Buchstaben N vor und verdeutlicht *Na ja* und *Tschüs. Bis bald* durch Gesten
➲ 9a	• die Texte noch einmal still lesen und die E-Mail in Partnerarbeit ordnen (Lösung: FREUNDIN) Variante: die verwürfelten Sätze kopieren und die Satzstreifen ausschneiden; S legen die Satzstreifen in der richtigen Reihenfolge untereinander
➲ 9b	• die richtigen Sätze suchen und vorlesen • die E-Mail in der richtigen Reihenfolge ins Heft schreiben
AB	Übung 8

10 Na so was!

Lektion 6 | S. 26

☞   Leseverstehen

HINWEIS: Der unbekannte Wortschatz ist ausschließlich passiv. Der Text ist daher nicht zum lauten Lesen durch die S geeignet. (Vorschläge zur Arbeit mit Lesetexten, siehe LHB S. 7, Punkt 2.3.1)
• L schreibt an die Tafel: *Mutter*   *Vater*
• S lesen still und finden die Schlüsselwörter: *Mutter – Zebra*   *Vater – Pony*
• L liest den Text einmal vor
• einfache Fragen zum Text, dabei nur bekannten Wortschatz anwenden: L: *Wie heißt sie? – Wie alt ist sie?*
fakultativ: S lesen noch einmal still und nennen alle Wörter, die sie kennen.

Lektion 7 Mein Vater

☞ Wortschatz *Familie*; Zahlen 17–20

> 1 Hören
> 2 Papa!
> 3 Lied: 17, 18, 19, 20
> 5 Nachsprechen
> } *als Einheit behandeln*

---

1 Hören: Freunde

Lektion 7 | S. 27

☞ Hörverstehen

➲ 1a CD1/56
- die Bilder anschauen und die Personen benennen; L zeigt auf Hund und Katze und spricht die Wörter; S sprechen nach
- die Bilder anschauen und die Geschichte hören
- die Geschichte noch einmal hören: dabei auf die Sprecher und auf Hund und Katze zeigen

➲ 1b
- die Geschichte in Teilen hören und die Bilder ordnen (Lösung: SUPER)

Differenzierung

1. im Plenum in Teilen hören und ordnen

2. wie 1, aber in Partnerarbeit oder allein in Teilen hören und ordnen

3. die Geschichte ganz hören; allein oder in Partnerarbeit ordnen

Vorschlag für die Aufteilung der Geschichte:
Teil 1: bis *Ich habe gew….* (die Katze miaut)
Teil 2: bis *Hallo Mischa, komm her.* (Schnurren der Katze)
Teil 3: bis *Ach so.*
Teil 4: bis *Nein, Axel, nein! Gib die Würfel her. Axel!*
Teil 5: bis zum Ende

- die Geschichte noch einmal hören und auf die Personen und Tiere zeigen
Variante zum Hören und Ordnen der Geschichte: die fünf Lösungsbuchstaben auf einzelne Wortkarten schreiben; Gruppen mit jeweils fünf S bilden. Jeder S einer Gruppe bekommt eine Karte mit einem der fünf Buchstaben. Die Geschichte hören; jede Gruppe muss sich in der Reihenfolge der Szenen vorne mit den Buchstabenkarten aufstellen

➲ 1c CD1/57
- Detailverstehen: nach dem Hören eines Satzes unterbrechen, damit S Zeit haben, den richtigen Satz zu formulieren; dann Kontrollhören
fakultativ: „Platzwechselspiel" (siehe Kursbuch Lektion 5 Übung 3d und LHB S. 13, Punkt 5.8)
VORSCHLAG für die Wortauswahl: *Du bist dran. / meine Katze / Mischa / deine Katze / mein Hund / Planetanien / richtig / Wie heißt …? / dein Hund / mitspielen / nein / Würfel / Sitzboogie / wir spielen*

AB Übung 1

---

2 Papa!

Lektion 7 | S. 27

☞ Wortschatz *Familie* (Erweiterung)

CD1/58
- das Bild anschauen und den Dialog hören
- den Dialog hören und jeweils auf die Personen zeigen
- noch einmal hören und mitlesen
- L fragt: *Was möchte Herr Hörmann?* – S: *mitspielen.* – L: *Was möchte er spielen?* – S: *Sitzboogie.*
- Falls die S sehr neugierig auf das Spiel sind, jetzt schon das Spiel in Übung 4 zeigen und eventuell schon spielen, aber nur bis zur Zahl 16. Spielerklärung: siehe LHB S. 13, Punkt 5.8

3 Lied: 17, 18, 19, 20

Lektion 7 | S. 27

☞	Zahlen 17–20 einführen und einüben
	• die Zahlen von 17 bis 20 an die Tafel schreiben; L spricht einmal vor, S sprechen nach
CD1/59	• das Familienfoto anschauen, das Lied hören und auf den Vater zeigen • das Lied einüben (Vorschläge siehe auch LHB S. 9, Punkt 4.1)
CD1/60	• die Strophe zur Playback-Fassung singen
AB	Übungen 2 und 3

5 Nachsprechen

Lektion 7 | S. 28

☞	Ausspracheschulung (p-h-k-z); Zahlen 17–20; Satzstrukturen
CD1/61	• Übung 1: Laute und Wörter hören und genau nachsprechen • Übung 2: Zahlen 17–20 hören und in den Pausen nachsprechen • Übung 3: Fragen aus Lektion 7 durch „Imitatives Nachsprechen" einüben

2 Papa! (Fortsetzung)

Lektion 7 | S. 27

CD1/58	• den Dialog zeilenweise hören und in Gruppen nachsprechen; jede Gruppe muss jede Rolle sprechen • den Dialog in Partnerarbeit einüben • den Dialog szenisch darstellen; mit dem Lied beginnen

4 Sitzboogie

Lektion 7 | S. 28

☞	Zahlen 1–20 einüben

	• Spielerische Übungsformen zum Einüben der Zahlen von 1–20:
	  - Zahlendiktat: L nennt Zahlen, zuerst langsam, dann schneller; S schreiben die Ziffern auf
	  - Spiel „Zahlenbingo" (siehe LHB S. 11, Punkt 5.4)
	  - „Welche Zahl kommt dann?": S1 ruft eine Zahl, S2 ruft die nächste Zahl.
	  - „Welche Zahl kommt vorher?": entsprechend der vorher beschriebenen Übung
	VORSCHLAG: bei den letzten beiden Übungen auch durch die Klasse gehen (siehe LHB zu „Start frei" Übung 6) und als „Ballzuwerf-Spiel" (siehe LHB zu „Start frei" Übung 7)
	• Spiel „Sitzboogie": S schauen die Bilder an und versuchen, das Spiel zu verstehen.
	• L / später S gibt die Kommandos und macht vor, alle S machen die Bewegungen nach und sprechen dabei die Zahlen
	Variante 1: wie im Kursbuch
	Variante 2: jedes Mal wieder bei 1 beginnen und alle Zahlen und Bewegungen wiederholen (hervorragendes Gedächtnistraining)
	VORSCHLAG: Dieses Spiel in späteren Unterrichtsstunden vor allem in Ermüdungsphasen der S hin und wieder einsetzen; S sind dann auch Spielleiter und erfinden neue Bewegungsformen

6 Zahlen-Memory®

Lektion 7 | S. 28

☞	Zahlen 1–20 in einem Spiel anwenden
	Erklärung des Spiels: siehe Kursbuch Lektion 2 Übung 1 und LHB S. 12, Punkt 5.7
➲ 6a	• in Gruppenarbeit mehrere Zahlen-Memorys® wie abgebildet herstellen • die Redemittel in den Sprechblasen lesen und einüben • in Kleingruppen spielen; dabei wie angegeben sprechen

☞	neuen Wortschatz einführen und einüben
	HINWEIS: auf der CD ist nur die Playback-Fassung des Liedes • das Familienbild anschauen und *Hund* und *Katze* benennen • die neuen Strophen sprechen und an die Tafel schreiben
CD1/62	• die beiden neuen Strophen zur Playback-Fassung singen • Jeder S schreibt eine Strophe ins Heft
AB	Übung 4 fakultativ: einen „Stammbaum" der Familie Hörmann an der Tafel erstellen, z.B. so:

fakultativ: ein große szenische Darstellung zum Themenkreis *Familie* vorbereiten;
alle Dialoge szenisch darstellen, vorher zur Einleitung die dazugehörende Liedstrophe
(Playback-Fassung) singen; nach dem letzten Dialog Sitzboogie spielen

AB	Lesen: Den Lesetext „Brieffreunde gesucht" (Seite 99) lesen und bearbeiten

Lektion 8   Meine Freunde

☞	Personen beschreiben; sich vorstellen

1 Wer schreibt mir?

☞	Leseverstehen; Personen beschreiben; neue Redemittel einführen und einüben
	HINWEIS: Der Text enthält einige noch unbekannte Wörter. Man sollte ihn deshalb nicht durch S laut vorlesen lassen. Dafür ist der Lesetext von Übung 2 besser geeignet. • die Fotos anschauen; *Eltern – beste Freundin – Baby* wenn nötig erklären • den Text still lesen; auf bekannte Wörter achten und versuchen, unbekannte Wörter aus dem Kontext zu verstehen Variante: L kopiert den Text. Jeder S bekommt ein Exemplar und liest den Text mit der Aufgabe, alles zu unterstreichen, was er versteht. • noch einmal still lesen und zu den genannten Personen das passende Foto suchen
➲ 1a	• in Partnerarbeit die Bilder ordnen. (Lösung: FAMILIE) • L/HP liest den Text vor, macht aber manchmal Fehler (nur bei bereits bekannten oder neuen aktiven Wörtern); S lesen konzentriert mit, rufen beim Fehler *Stopp*! und lesen den Satz richtig vor. • „Flüsterübung" durch L (nur Sätze mit aktivem Wortschatz) (siehe LHB S. 6, Abschnitt „Unterstützende Übungen")

fakultativ: gemeinsam einen „Stammbaum" von Meikes Familie erstellen und an die Tafel schreiben; dazu noch einmal den Brief lesen (Detailverstehen).

Tafelanschrift:

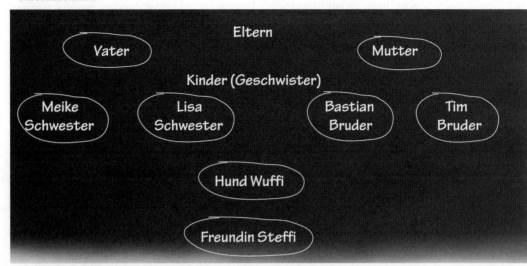

⮌ 1b   • persönlicher Bezug: S berichten über sich; dazu das Satzgerüst von Aufgabe b an die Tafel schreiben
         • wie angegeben mithilfe des Satzgerüstes einen Brief schreiben

AB   Übung 1

2 Lesen: Planetinos Familie
3 Wir basteln Fingerpuppen   } als Einheit behandeln
4 Frag Planetino

② *Planetinos Familie*

Lektion 8 | S. 30

☞   Leseverstehen; jemanden vorstellen; Personen beschreiben; fragen und antworten

• Tafelanschrift: *Planetinos Familie*
• die Bilder anschauen und überlegen, wer da abgebildet ist (*Planetinos Bruder …?*)
• den Text still lesen; unbekannte Wörter aus dem Kontext und über die Bilder erschließen
• die Reihenfolge der Bilder festlegen: L und HP lesen abschnittweise vor.
  Teil 1: bis *Astronaut* – S: Bild 3
  Teil 2: bis *Ja, ja.* – Bild 2
  Teil 3: bis *Planetina* – Bild 1
  Teil 4: bis *Planetonio* – Bild 4
• die neuen Redemittel durch „Imitatives Nachsprechen" einüben; siehe LHB S. 6, Punkt 2.2.3
  – (*Astronaut – Schau mal. – interessant – schön – Deine Mutter ist aber schön. – Fußball-spielerin – komisch – Na so was!*)
• Frage und Antwort: L stellt die Fragen, S suchen die Antworten im Text:
  Wie heißt Planetinos Mutter/Vater/Bruder/Schwester?
  Wie alt ist … ?
  Wer ist Astronaut? / Fußballspielerin?
  Wer ist … Jahre alt?

3 Wir basteln Fingerpuppen: Planetinos Familie

Material	Für den Kopf möglichst Kugeln aus Watte oder Styropor mitbringen. Alternativ kann man auch die Hülle einer Streichholzschachtel verwenden (dann wird der Kopf eckig) oder eine Kugel aus zerknülltem Papier formen, mit einem Papiertaschentuch überdecken, den Finger in die Kugel hineinstecken und das Papier festbinden oder festkleben.
fächerübergreifend	• im Kunstunterricht wie vorgeschlagen Fingerpuppen basteln

4 Frag Planetino

☞	fragen und antworten
CD1/63	• die Szene im Buch anschauen und den Dialog hören
	• mit der Planetino-Fingerpuppe die Szene nachspielen
	• Satzanfänge für weitere Fragen an die Tafel schreiben: L schreibt an, S ergänzen die Sätze.

Tafelanschrift:

> Wie alt ist dein/deine ... ?
> Wie heißt dein/deine ... ?
> Wer ist ... Jahre ... ?
> Wer ist ... ? (schön/Astronaut/ ...)

• in Partnerarbeit mit der Fingerpuppe weitere Szenen spielen und die Satzanfänge verwenden
HINWEIS: Fingerpuppen sollten immer wieder zum Einüben von Dialogen, vor allem in Partnerarbeit, eingesetzt werden. Dadurch wird die Sprechhäufigkeit für jeden S deutlich erhöht.
fakultativ: Frage und Antwort mit dem Spielplan „Ein Spiel für alle Fälle" (Kursbuch Seite 100); Erklärung des Spiels siehe LHB Seite 14, Punkt 5.9: Zum Lesetext *Planetinos Familie* (Übung 2) viele *Fragen an Planetino* auf Ereigniskarten schreiben. Beispiele: *Wie alt ist deine Schwester? – Wer ist Astronaut? – Wie heißt ... ?* Wer auf ein farbiges Feld kommt, nimmt eine Karte, liest die Frage vor und gibt selbst die Antwort. Wie in der Spielerklärung vorgeschlagen in Kleingruppen spielen.

2 Lesen: Planetinos Familie (Fortsetzung)

• Übungen zur Verbesserung der Lesefertigkeit
  - L und HP lesen vor und stoppen manchmal plötzlich; einzelne S / alle S vervollständigen den Satz oder lesen den nächsten Satz
  - L und HP lesen den Text vor; HP macht manchmal Fehler; S lesen konzentriert mit, rufen beim Fehler *Stopp!* und lesen/sprechen den fehlerhaften Satz noch einmal richtig
  - Flüsterübung": L liest flüsternd einen Satz; S suchen im Buch und lesen ihn vor
  - Suchübungen im Text: siehe LHB S. 8, Punkt 2.3.3 („Was kommt dann?/vorher?" – „Satzanfang" – „Wie heißt der Satz?")

• in Partnerarbeit mit leiser Stimme den Text einüben
• den Text vorlesen; wegen der Länge auf mehrere Dialogpartner aufteilen

AB	Übung 2

5 Wir stellen uns vor

☞	sich vorstellen; Szenen mit Fingerpuppen spielen
CD1/64	• die Bilder anschauen und den Text hören
	• die Szene nachspielen

• gemeinsam überlegen und an der Tafel in Kurzform aufschreiben, wer von Planetinos Familie sich vorstellen soll und was er/sie sagen kann
• das folgende Tafelbild entsteht:

Planetino	Planetina	Planetonio	Planetaria	Planetarus
Ich bin …				
… ist mein/meine	Schwester		Mutter	
		Bruder		Vater
Er/Sie … ist … alt.				
Mein/Meine …. ist	Fußballspielerin		schön	

• Mitglieder aus Planetinos Familie stellen sich mit den entsprechenden Fingerpuppen vor und verwenden die Redemittel an der Tafel:
Beispiel: *Hallo, ich bin Planetina.*
Ich bin 15 Jahre alt.
Ich bin Fußballspielerin.
Planetaria ist meine Mutter.
Sie ist schön.
Mein Vater …
…
• in Partnerarbeit eine Vorstellung einüben und anderen Gruppen vorspielen
• vor der Klasse vorspielen

6 Ein wenig Planetanisch
Lektion 8 | S. 31

⊃ 6a
• L und HP lesen den ersten Dialog vor. S sagen in der Muttersprache, was hier seltsam ist.
• S lesen die Dialoge still und versuchen in Partnerarbeit, einige Wörter ins Deutsche zu „übersetzen"; die Wörter nennen
• L nennt eventuell zusätzlich einige Schlüsselwörter, z.B.
Dialog 1: *Was?/Fangen*
Dialog 2: *Wo ist …?/Hallo …*
• S machen einen zweiten Versuch, den Text zu „übersetzen".
• die „Übersetzung" vorlesen

⊃ 6b CD1/65
• die Szenen auf Deutsch hören
• die Szenen auf Deutsch an die Tafel schreiben

⊃ 6c
• die Szenen auf Deutsch mit den Fingerpuppen in Partnerarbeit einüben
• vor der Klasse spielen

⊃ 6d Portfolio
• einen Comic für das Portfolio zeichnen und schreiben

Differenzierung
1. einen Comic zu den Dialogen von Übung 6 machen
2. einen Comic zu einem Dialog der vorherigen Lektionen (z. B.: Lektion 4 Übung 3) zeichnen und schreiben

7 *Laute und Buchstaben: ö*

➲ 7a CD1/66	• Laute und Wörter hören und in den Pausen nachsprechen
➲ 7b	• mit S über die Aussprache und Schreibweise des ö sprechen • die Sätze und Wörter von Aufgabe c an die Tafel schreiben; das ö markieren
➲ 7c CD1/67	• Aufgabe wie angegeben durchführen
AB	Übung 3
AB	• *Weißt du das noch?* (Seite 37) in Partnerarbeit bearbeiten
AB/Portfolio	• *Das habe ich gelernt* (Seite 39/40) wie im AB Seite 6 vorgeschlagen für das Portfolio bearbeiten; wenn nötig bei *Das kann ich schon* (KB Seite 32) nachsehen.
AB/Portfolio	• *den Grammatik-Comic* (Seite 41) für das Portfolio bearbeiten; wenn nötig bei *Das kann ich schon* (Kursbuch Seite 32) nachsehen
AB/Wortliste	Arbeit mit der *Wortliste* zu den Lektionen 5 bis 8 (Seite 38) Vorbemerkungen: siehe LHB Seite 9, Punkt 3 HINWEIS: Artikel und Plural können erst ab Lektion 16 eingetragen werden. Übung : L / später S (mit dem Buch in der Hand) nennt ein Wort / eine Wortfolge aus der Wortliste und nennt die Nummer der Lektion: Beispiel: *So ein Quatsch! – Lektion 6*; alle S suchen die Stelle im Buch. Ein S nennt Seite und Übung und liest den Satz / die Zeile / den Dialogteil vor oder spricht auswendig. HINWEIS: Bei Übungen zum Wortschatz *Familie* sollte man beachten, dass es in der Klasse möglicherweise Kinder mit schwierigen Familiensituationen gibt. Fragen zur persönlichen Situation sollte man entsprechend vorsichtig stellen und nur die Kinder über ihre Familie sprechen lassen, die sich freiwillig dazu melden. Der Wortschatz *Familie* kann neutral am Beispiel der im Kursbuch vorgestellten Personen angewandt werden.

Themenkreis Schule

Sprechhandlungen	auffordern; fragen und sagen, was man möchte
Wortschatz	Gegenstände im Klassenzimmer; Tätigkeiten; Farben; Schulsachen
Grammatik	bestimmter Artikel im Akkusativ; Verneinung mit *nicht*; Verbformen
AB	die Einstiegsseite in den Themenkreis (Seite 43) in Partnerarbeit erarbeiten; wenn nötig im Kursbuch (Lektion 1–8) oder in den Wortlisten zu den Lektionen 1–4 und 5–8 im AB nachschauen

1 *und* 2 *Comic*

Material	ein Paar Fausthandschuhe für die szenische Darstellung von Comic 2 mitbringen
➲ a	• die beiden Comics lesen und mit den passenden Sätzen in den Sprechblasen unten ergänzen
➲ b CD2/2+3	• die Comics hören, ohne die Bilder anzusehen • die Comics hören, mitlesen und die jeweilige Lösung kontrollieren; wenn nötig das Verstehen von Comic 2 in der Muttersprache abklären (Der Affe nimmt zum Rechnen seine 10 Finger zu Hilfe. Das arme Schweinchen kann das nicht, weil es keine Finger hat.) • die beiden Comics hören und satzweise nachsprechen • Comic 2 szenisch darstellen; für die Rolle des Schweins Fausthandschuhe anziehen; so können S deutlich machen, dass das Schwein nicht mit den Fingern rechnen kann.

Lektion 9   Meine Klasse

☞   *fragen* und *antworten*; Gegenstände im Klassenzimmer; Farben

1 Hören: Im Klassenzimmer
Lektion 9 | S. 34

☞	Hörverstehen
	VORSCHLAG: ein Folie des Bildes herstellen und projizieren; die Aufmerksamkeit der S wird so nach vorne konzentriert. • das Bild oder die Folienprojektion ansehen; die Namen der Kinder lesen und nennen
CD2/4	• die Szenen einzeln hören; nach jeder Szene unterbrechen und auf dem Bild das Kind / die Kinder suchen • noch einmal hören und die Namen der beteiligten Kinder nennen HINWEIS: die Gegenstände im Klassenzimmer erst nach den Übungen 3, 4 und 5 benennen

2 Fragen
Lektion 9 | S. 34

☞	Redemittel zu *fragen* und *antworten* einüben
	• in Partnerarbeit wie angegeben durchführen

3 Hören und Nachsprechen
Lektion 9 | S. 35

☞	Wortschatz *Gegenstände im Klassenzimmer* einführen und einüben; Ausspracheschulung
	HINWEIS: Die Präpositionen *zum/zur* sollen in der ganzen Lektion 9 nicht aktiv geübt werden.
➲ 3a CD2/5	• die Übung hören; L geht in der Klasse herum, zeigt auf die genannten Gegenstände oder fasst sie an. • die Übung noch einmal hören; jeder S geht mit zwei Fingern auf dem Bild von einem Gegenstand zum anderen. Am unteren Bildrand in der Mitte ist Start. L sollte sehr darauf achten, dass alle S mitmachen können; wenn nötig, nach jeder Aufforderung oder nach jeweils drei Aufforderungen stoppen • noch einmal hören; ein S geht in der Klasse herum; L / die anderen S helfen wenn nötig
➲ 3b CD2/6	• die Wörter hören, auf die Gegenstände im Bild zeigen und nachsprechen
AB	Übung 1

4 Laute und Buchstaben: sch
Lektion 9 | S. 35

➲ 4a CD2/7	• Laute und Wörter hören, die Laute imitieren und die Wörter genau nachsprechen
➲ 4b	• *sch* an die Tafel schreiben, das Bild mit der alten Dampflokomotive im Kursbuch zeigen und das Geräusch imitieren; S machen mit
➲ 4a	• noch einmal durchführen
➲ 4c CD2/8	• L schreibt die Wörter an die Tafel und spricht bei jedem Wort mit • S unterstreichen das *sch* oder markieren es mit einem farbigen Kreis • mehrere S lesen nacheinander das erste Wort laut, Kontrollhören von der CD, dann die Pause verlängern; alle S wiederholen im Chor fakultativ: Übung „Fehler erkennen" (siehe LHB 6, Punkt 2.2.3) mit den Wörtern von Aufgabe c
AB	Übung 2

5 Schreiben

☞   das Schriftbild der *Gegenstände im Klassenzimmer* einüben

- den TIPP lesen und im Folgenden beachten
- über das Spiel „Buchstabenspinne" (siehe Kursbuch „Start frei" Übung 5) das Schriftbild der *Gegenstände im Klassenzimmer* bewusst machen und festigen; jedes erratene Wort auf einen DIN A4-Karton schreiben und die Kartons im Klassenzimmer aufhängen (siehe das Bild zu Übung 1)

fakultativ: L nimmt vor der Unterrichtsstunde alle Schilder weg und gibt Anweisungen: Beispiel: *Geh bitte zum Schrank.* – S1 nimmt das Schild mit dem Wort *Schrank*, geht dorthin und hängt es wieder auf.

6 Lesen: E-Mail

          Leseverstehen; neue Redemittel zum Thema *Schule* einführen und einüben

➩ 6a	• die E-Mail lesen und die Jungen und Mädchen auf dem Klassenfoto suchen und zählen
➩ 6b	• Übung wie angegeben durchführen; zu jeder Aussage den Parallelsatz im Text suchen und vorlesen; die falschen Aussagen richtigstellen und vorlesen • über die eigene Klasse berichten
AB	Übung 3 fakultativ: den Text von Übung 3 (AB) oder einen eigenen Text als Information über die eigene Klasse für das Portfolio schreiben

7 Reim: Farben

☞	Wortschatz *Farben* einführen und einüben
Material	L bringt Farbkarten mit
	• die Farben einführen: L zeigt Farbkarten und benennt die Farben. • die Farbkarten an 10 S verteilen; L nennt die Farben; S zeigen die entsprechenden Karten
CD2/9	• die Farbkarten in der Reihenfolge des Reims an die Tafel hängen und den Reim hören; L zeigt an der Tafel mit • den Reim zeilenweise hören und nachsprechen; ein S zeigt an der Tafel mit • die Farben über „Imitatives Nachsprechen" einüben (siehe LHB S. 6, Punkt 2.2.3) • Ausspracheübung für *rot – rosa – grün*: Vor- und Nachsprechen; die Dehnung der langen Vokale durch Handzeichen verdeutlichen (siehe auch Lektion 11 Übung 4)
➩ 7a	• den Reim hören und still mitlesen • den Reim satzweise hören und laut nachlesen • den Reim hören, mitlesen und halblaut mitsprechen Übung: L nennt eine Farbe, z.B. *Rot*; S heben einen roten Gegenstand hoch oder zeigen auf ein rotes Kleidungsstück Variante: ebenso als „Das 6-Richtige-Spiel" mit einem S (siehe LHB S. 10, Punkt 5.1)
➩ 7b	• das Bild anschauen und die Redemittel lesen • L geht durch die Klasse, spricht den Reim bis zu einer Farbe (z.B *Grün*) und bleibt an einem Gegenstand stehen, der diese Farbe hat. S nennen den Gegenstand, (z.B. *Tafel*). (Vorher die Wortkarten an den Gegenständen umdrehen oder wegnehmen.) • wie vorher, aber durch einzelne S • wie im Kursbuch abgebildet an Gruppentischen spielen
➩ 7c	• den veränderten Reim in Partnerarbeit einüben und sprechen Vorschlag: 10 S mit Farbkarten stellen sich in beliebiger Reihenfolge vor der Klasse auf (die Farbe *Weiß* muss immer am Ende sein). Die anderen S sprechen den neuen Reim. fakultativ: den Reim von Aufgabe c oder einen eigenen Reim für das Portfolio aufschreiben; die Wörter mit den Farben dekorieren
AB	Übungen 4 und 5

8 Comic: Freunde

☞ Leseverstehen; den Wortschatz *Farben* anwenden

- den Comic still lesen
- L und HP lesen den Comic vor.
- den Comic in Partnerarbeit einüben und vorlesen
- wie vorgeschlagen selbst einen Tiercomic für das Portfolio machen
  Vorschlag: zwei Katzen, eine nur weiß, die andere weiß mit roten Flecken; zwei Vögel …

Lektion 10 Im Unterricht

☞ fragen und sagen, was man möchte; *Tätigkeiten*; 1. Pers. Pl. der Verben; 2. Pers. Sing. des Modalverbs *möchte-*

> *1 Was machen wir heute?*
>
> *2 Hören und Nachsprechen*   } *als Einheit behandeln*

1 Was machen wir heute?

☞ Wortschatz *Tätigkeiten* einführen und einüben

HINWEIS: Wenn L von der ersten Unterrichtsstunde an regelmäßig Anweisungen auf Deutsch gegeben hat, sind viele dieser Verben den S bereits passiv bekannt (*Wir schreiben / malen / lesen / singen …*). In diesem Fall können alle Verben in einer Unterrichtsstunde eingeführt und eingeübt werden.
- Einführen der Tätigkeiten über Minidialoge mit der HP:
  HP flüstert L etwas ins Ohr.
  L: *Was möchtest du denn?*
  HP flüstert wieder.
  L: *Schreiben?*
  HP: *Ja.*
  L: *Na gut.* L gibt HP ein Stück Kreide, HP schreibt an die Tafel.
- ebenso mit weiteren Tätigkeiten (*rechnen/zeichnen/schlafen*)

CD2/10
- den Text zudecken; Szene 1 hören; L wiederholt mit Gesten: *schreiben – malen*; S zeigen auf die Abbildungen
- ebenso mit den nächsten sechs Szenen
- alle Szenen ohne Unterbrechung hören; S zeigen auf den Bildern mit

2 Hören und Nachsprechen

☞ Hörverstehen und Ausspracheschulung; den Wortschatz *Tätigkeiten* einüben

➲ 2a CD2/11
- die Wörter hören und in Übung 1 mitzeigen

➲ 2b CD2/12
- Alle S stellen sich hin, eventuell stehen einige S vor der Klasse. Sie hören die Wörter und stellen die Tätigkeiten pantomimisch dar; wenn nötig, die Pausen verlängern

➲ 2c CD2/13
- Übung 1 hören; die Laute imitieren und die Wörter genau nachsprechen
- Übung 2 hören und die Wörter durch „Imitatives Nachsprechen" einüben

1 Was machen wir heute? (Fortsetzung)

CD2/10	• die Szenen hören und mitlesen • satzweise hören, mitlesen und nachsprechen • die Szenen hören, mitlesen und halblaut mitsprechen • Ratespiel: 2 S stehen vor der Klasse, verabreden eine Tätigkeit und stellen sie pantomimisch dar. S1 und S2: *Was machen wir?* – Klasse: *rechnen* (nicht *Ihr rechnet!*) • Einüben der 1. Person Plural der Verben; wie die vorherige Übung, aber die 2 S stehen hinter der Klapptafel oder hinter der Klasse. Sie verabreden wieder eine Tätigkeit und stellen sie pantomimisch dar. Klasse: *Was macht ihr denn da?* – S1 und S2: *Wir tanzen.* • Einüben des Schriftbildes über das Spiel „Buchstabenspinne" (siehe Start frei, Übung 5): S1: *Ich möchte hüpe küre. Ratet mal.*
AB	Übungen 1 und 2

3 Dialoge selber machen

☞	bekannte Redemittel anwenden
	• die gelben Satzstreifen lesen und die Lückensätze durch verschiedene Wörter ergänzen • die Beispiele lesen • in Partnerarbeit Satzstreifen wie im Kursbuch herstellen (2 beliebige Farben) • in Partnerarbeit mit den Satzstreifen Minidialoge legen und die Lücken ergänzen. S lesen sich gegenseitig die Dialoge vor. Jeder S hat mehrmals die gelben und die roten Satzstreifen. Variante: große Satzstreifen herstellen und auf den Lehrertisch legen. 2 S kommen nach vorne, nehmen und zeigen Satzstreifen und sprechen ihren Dialog. • Jeder S schreibt einige Dialoge ins Heft.
AB	Übungen 3 und 4

4 Lied: Was möchtest du denn machen?

☞	bekannte Redemittel anwenden
CD2/14	• das Lied hören • noch einmal hören und mitsummen • hören und den Text still mitlesen • jeweils die letzte Zeile durch „Imitatives Nachsprechen" einüben • das Lied hören und jeweils die letzte Zeile mitsingen • rhythmisches Sprechen der Tätigkeiten, zunächst langsam, dann immer schneller (*Schreiben? Schreiben? Lesen? Lesen* bzw. *Schreiben? Lesen? …*) • das Lied hören und mitsingen • Schnellsprech-Wettkampf: Jeweils 2 S üben im Wechsel die drei letzten Zeilen des Liedes ein, und zwar mit verschiedenen Tätigkeiten; das Sprechtempo langsam steigern und mehrfach hintereinander sprechen; dann vor der Klasse präsentieren; L/S stoppen die Zeit. Wer ist Schnellsprech-Sieger?
CD2/15	• die beiden Strophen zur Playbackfassung singen • auf Vorschlag der S weitere Strophen singen; 2 S sprechen jeweils ihren Vorschlag wie im Schnellsprech-Wettkampf vor • Jeder S schreibt eine Strophe ins Heft

5 *Ratespiel mit Bildkarten*

☞ die neuen Redemittel anwenden

➲ 5a • in Gruppenarbeit die Bilder von Übung 1 auf Karten malen

➲ 5b CD2/16 • das Bild anschauen und den Dialog hören
• noch einmal hören und mitlesen
• wie angegeben in kleinen Gruppen an Schülertischen spielen

Lektion 11 Meine Schulsachen

☞ auffordern; fragen und sagen, was man möchte; Wortschatz *Schulsachen* und *Tätigkeiten*; bestimmter Artikel im Akkusativ

HINWEIS: Über die tägliche Unterrichtssprache sind wahrscheinlich einige der Schulsachen bereits eingeführt worden. Die S kennen die Bedeutung dieser Wörter, haben sie oft gehört, aber noch nie selbst gesprochen. Da der Klang dieser Wörter sich im Ohr der S schon gefestigt hat, dürfte die Aussprache kein großes Problem mehr sein.

1 Hören
2 Schulsachen-Rap } *als Einheit behandeln*
3 Nachsprechen

1 Hören

☞ Wortschatz *Schulsachen* einführen; Hörverstehen

• Einführen der *Schulsachen* und Wiederholen der *Farben* durch L und HP:
  - L hält ein Buch hoch. L: *Mein Buch ist grün.* – HP: *Richtig.*
  - L: (zeigt seine Tasche): *Meine Tasche ist blau.* – HP: *Falsch: braun.*
  - S übernehmen die Rolle der HP:
    L: *Mein Radiergummi ist blau und grün.* – Alle S: *Falsch: blau und rot.*
    Ebenso mit weiteren *Schulsachen*, auch mit bisher unbekannten.
Variante zur Einführung der *Schulsachen*: die Abbildung von Übung 2 auf Farbfolie ziehen oder mit dem Farbkopierer vergrößern und an der Tafel befestigen; L zeigt in beliebiger Reihenfolge auf die Abbildungen von *Bleistift, Schere, Spitzer, Tasche, Malkasten, Kreide, Heft, Lineal, Buch.* S rufen die Farben der Gegenstände in die Klasse.

CD2/17 • die Bilder von Übung 2 anschauen; die Wörter hören und auf die entsprechenden Bilder zeigen; die Übung mehrmals durchführen

2 *Schulsachen-Rap*

☞ Wortschatz *Schulsachen* einführen und einüben (ohne Artikel)

CD2/18 • den Rap hören; dabei die Bilder anschauen und mitzeigen
• noch einmal hören und still mitlesen
• Alle S stehen an ihrem Platz, hören den Rap und bewegen sich in den Sprechpausen rhythmisch, klatschen in die Hände, schnipsen mit den Fingern …
• „Flüsterübung" (siehe LHB Seite 6, Punkt 2.2.1): Jeweils 2 S legen möglichst viele Schulsachen auf ihren Tisch, aber nur eins von jeder Sorte. L nennt flüsternd ein Wort, alle S heben den genannten Gegenstand hoch.

AB Übung 1

3 Nachsprechen

☞   Wortschatz *Schulsachen* einüben

➲ 3a CD2/20   Übung 1:
- jeweils 3 Wörter hören und in den Pausen genau nachsprechen
- noch einmal hören, dabei auf die Bilder in Übung 2 zeigen; die Wörter unter den Abbildungen mitlesen und genau nachsprechen

Übung 2:

HINWEIS: Die Wörter von Übung 2 sind jetzt verwürfelt. Jeweils 3 Wörter hören, auf die entsprechenden Abbildungen in Übung 2 zeigen und genau nachsprechen

➲ 3b CD2/21   Erklärung dieser Übung zur Intonation: siehe LHB zu Lektion 1, Übung 3b
- L demonstriert den Ablauf der Übung an einigen Beispielen
- die Übung mit der CD durchführen

fakultativ: „Klatschübung zur Betonung" als Ratespiel (siehe LHB Seite 6, Punkt 2.2.2)

Beispiel: L: u-u-b   S ruft: *Lineal*
                   L: b-u   S ruft: *Bleistift/Schere* usw.

2 Schulsachen-Rap (Fortsetzung)

CD2/18
- den Rap hören, mitlesen und halblaut mitsprechen
- noch einmal hören, mitsprechen und wie oben rhythmisch mitmachen
- Variante: einige S sprechen, andere bewegen sich, klatschen usw.

CD2/19
- den Rap zur Playback-Fassung sprechen, mit rhythmischer Begleitung in den Pausen

fächerübergreifend
- fakultativ: im Musikunterricht mit Instrumenten den Rap musikalisch anreichern

AB   Übung 2

4 Laute und Buchstaben

☞   Ausspracheschulung: lange Vokale

➲ 4a CD2/22
- die Laute und Wörter hören und genau nachsprechen

➲ 4b
- anhand der Fotos die Dehnung der langen Vokale demonstrieren; Aufgabe a noch einmal durchführen; bei jedem Laut/Wort das Handzeichen für die Dehnung machen

➲ 4c CD2/23
- mehrere S lesen nacheinander je eine Zeile vor (Dehnungszeichen mitmachen); dann zeilenweise Kontrollhören und im Chor wiederholen

AB   Übung 3 in Partnerarbeit durchführen; dann die Texte einüben und vorlesen; auf die Dehnung der langen Vokale achten!

5 Ratespiel: Farben und Schulsachen

☞   Wortschatz *Schulsachen* einüben

➲ 5a
- die Bilder von Übung 2 anschauen; S rufen die Namen der Gegenstände in beliebiger Reihenfolge in die Klasse. L schreibt jedes neue Wort in eine Artikel-Tabelle (siehe Übung 6) an die Tafel. Auf keinen Fall darf der bestimmte Artikel zu den Wörtern oder über die Spalten geschrieben werden.

➲ 5b
- L demonstriert mit HP den Ablauf des Ratespieles an einigen Beispielen und schreibt dann *mein* über die linke und mittlere Spalte und *meine* über die rechte Spalte
- das Ratespiel mit den vorgeschlagenen Redemitteln mit Realien spielen; S schauen dabei als Hilfe und zur Kontrolle auf die Tabelle an der Tafel
- wie abgebildet das Kursbuch auf den Tisch legen und in Partnerarbeit mit den Bildern von Übung 2 das Ratespiel durchführen; die Tafelanschrift ist weiterhin Hilfe und Kontrollmöglichkeit

6 Schulsachen

☞ bestimmten Artikel im Akkusativ einführen und einüben

- die Abbildungen anschauen; L und S ordnen Schulsachen entsprechend der Abbildung auf einem Tisch an
- L und HP spielen drei Minidialoge vor. L: *Gib mir bitte das Buch.* – HP: *Hier bitte.* Ebenso mit … *die Schere* und … *den Füller*
- mit einem Tuch die Gegenstände der roten und grünen Farbgruppen (*die* und *das*) zudecken; Minidialoge mit Gegenständen der blauen Farbgruppe (*den*) spielen, zuerst L / später S mit HP, dann zwei S
- L / später S mit HP spielen weitere Minidialoge mit Gegenständen der anderen beiden Farbgruppen (*das* und *die*)

CD2/24
- die drei Dialoge hören und mitlesen
- noch einmal hören; 2 S spielen vor der Klasse pantomimisch mit
- noch einmal hören, mitlesen und halblaut mitsprechen
- in Partnerarbeit auf den jeweiligen Schülertischen Schulgegenstände wie oben anordnen und die Dialoge einüben, zunächst bei geöffneten Büchern
- vor der Klasse Dialoge szenisch darstellen; L schreibt die genannten Schulsachen nach und nach in drei Spalten untereinander an die Tafel
- die Spalten *blau*, *grün* oder *rot* umrahmen; L spricht dabei: *Gib mir bitte den Spitzer.* (*blau* umrahmen) usw.

  HINWEIS: Die farbige Markierung der Genera wird ab jetzt im Kursbuch konsequent durchgehalten, auch auf Bild- und Wortkarten von Nomen (ab Übung 10). Die farbige Kennzeichnung ist für die Schüler eine wichtige visuelle Hilfe beim Lernen der Grammatik.
- Spiel „1, 2, oder 3?" (siehe LHB Seite 14, Punkt 5.8): Einige (3 oder 4) S stehen vor der Klasse mit dem Rücken zur Tafel. L: *Gib mir bitte die Kreide.* – S stellen sich unter die *rot* umrahmte Spalte usw.
- „Tamburin-Spiel" (siehe LHB Seite 10, Punkt 5.1): L: *Gib mir bitte … Block:* – alle S: *Gib mir bitte den Block.* Ebenso mit den bisher bekannten anderen zwei Dialog-Varianten

AB
Übung 4 (L erklärt die Übung, wenn nötig))
- den Dialog mit zwei Gegenständen (*Sprich auch so:*) lesen und einüben
fakultativ: Spiel „Koffer packen" (siehe LHB Seite 10, Punkt 5.1): S1: *Gib mir bitte den Füller.* – S2: *Gib mir bitte den Füller und das Heft.* – S3: *Gib mir bitte den Füller, das Heft und die Kreide.* usw. Wenn nötig, als Erinnerungshilfe die genannten Gegenstände jeweils auf den Tisch legen

Differenzierung
1. die Tabelle im Buch oder an der Tafel anschauen
2. ohne visuelle Hilfe
- den Quatschdialog im Kursbuch (*Und so:*) lesen; in Partnerarbeit Quatschdialoge vorbereiten und vor der Klasse spielen

7 Blau, grün oder rot?

☞ bestimmten Artikel im Akkusativ einüben

HINWEIS: In den Übungen 7 bis 10 werden weitere spielerische Übungsformen angeboten, in denen die S durch aktives Sprachhandeln den Gebrauch der neuen Strukturen festigen können. Als visuelle Hilfe wird durchgehend die farbige Kennzeichnung der Artikel eingesetzt. So lernen die S durch vielfältige Übungen nach und nach den sicheren Gebrauch der Grammatik. Auf das Einführen grammatischer Regeln wird bewusst verzichtet, denn sie sind – weil zu abstrakt – bei Kindern dieses Alters noch nicht hilfreich.

Material
Drei farbig gekennzeichnete Schachteln (siehe Abbildungen)
Vorschlag: Zur weiteren visuellen Unterstützung sollte die Tabelle von Übung 6 als großes Plakat für lange Zeit in der Klasse hängen. Die Gegenstände müssen nicht unbedingt farbig sein, nur die farbige Umrahmung (*blau* – *grün* – *rot*) ist wichtig.

- die Bilder anschauen; die farbigen Schachteln auf einen Tisch stellen und verschiedene Schulgegenstände ungeordnet auf einen anderen Tisch legen, jeden Gegenstand nur einmal

CD2/25	• den Dialog hören; L und HP agieren dazu. HP legt das Buch in die grüne Schachtel. • den Dialog hören und mitlesen • noch einmal hören und nachsprechen • 2 S agieren, hören dabei den Dialog und sprechen halblaut mit fakultativ: „Tamburinspiel" (siehe LHB Seite 10, Punkt 5.1): L: *Gib mir … Radiergummi.* – Alle S: *Gib mir den Radiergummi.* usw. • den Dialog einüben und die Szene mit weiteren Gegenständen spielen, bis alle Gegenstände einsortiert sind fakultativ: Jeder S möchte natürlich seinen Gegenstand aus den Schachteln zurückbekommen. Übung dazu: S1 steht hinter dem Tisch mit den Schachteln. S2 kommt nach vorne. S2: *Gib mir bitte das Lineal.* – S1: *Hier bitte.* S2 löst S1 ab; S3 kommt … Variante: S3: I*ch möchte lesen. Gib mir bitte das Buch.* – …
AB	Übung 5

8 Das Farbenwürfelspiel
Lektion 11 | S. 41

☞	bestimmten Artikel im Akkusativ einüben
➲ 8a	• Farbenwürfel wie in der Anweisung basteln; oder fertige Würfel mit je zwei blauen, grünen und roten Farbpunkten/Farbflächen bekleben
➲ 8b CD2/26	• das Bild mit dem Spielverlauf anschauen, den Dialog hören und versuchen, die Spielregel zu verstehen • das Spiel in der Klasse spielen, bis alle Gegenstände aus den Schachteln herausgenommen worden sind
➲ 8c / 8d	• wie angegeben auch mit zwei Würfeln spielen: - zunächst mit den angegebenen Textvarianten vor der Klasse spielen - dann in Kleingruppen oder in Partnerarbeit spielen; dazu weitere farbige Schachteln bereitstellen
AB	Übung 6

9 Ratespiel
Lektion 11 | S. 42

☞	bestimmten Artikel einüben
CD2/27	• das Bild anschauen; den Dialog hören und mitlesen • das Ratespiel wie angegeben durchführen Vorschlag: Ein S sollte den Gegenstand, für die anderen Schüler nicht sichtbar, aus der Schachtel herausnehmen und hinter dem Rücken verbergen.
AB	Übung 7

10 Memory®: Schulsachen
Lektion 11 | S. 42

☞	bestimmten Artikel im Akkusativ einüben
Material	Bildkarten von den Schulsachen
fächerübergreifend ➲ 10a	• im Kunstunterricht Bild- und Wortkarten der Schulsachen herstellen, auch für das Spiel in Gruppen; jede Bild- und Wortkarte bekommt einen deutlich sichtbaren Farbpunkt in der entsprechenden Artikelfarbe!
➲ 10b	• das Beispiel lesen und wie gewohnt an Gruppentischen Memory® spielen; die Farbpunkte sind eine große Hilfe für den richtigen Gebrauch der Artikel fakultativ: „Partnersuchspiel" mit den Bild- und Wortkarten (siehe LHB Seite 13, Punkt 5.8); die S mit den Wortkarten sprechen so: *Ich möchte den (das/die) …* – die S mit den Bildkarten sprechen so: *Ich habe den (das/die) …*

☞   Leseverstehen und Schreibanlass

➲ 11a   • die Geschichte still lesen und in Partnerarbeit ordnen (Lösung: BLOCK)
             - L erklärt *Tut mir leid* und *Nimm … heraus* durch Mimik und Gestik
            • Übungen zur Steigerung der Lesefertigkeit:
             - Übung „Wer sagt das?“: L / später S liest einen Satz vor, S nennen den Sprecher
             Beispiel: L / später S: *Nimm das Heft heraus.* – S suchen den Satz. S1: *Lehrer.*
             - Übung „Was kommt dann?“: L / später S liest einen Satzanfang; S suchen den Satz.
             Ein S liest/spricht den ganzen Satz. Diese Übung ist auch für Partnerarbeit sehr geeignet.
             - in Partnerarbeit die Dialoge einüben; zunächst „Sprechlesen“ (siehe LHB Seite 6, Punkt
             2.2.1), dann Rollenlesen
            • die Geschichte als Szene spielen; das geöffnete Buch dabei in die Hand nehmen
             („Sprechlesen“)

➲ 11b Portfolio   • als mündliche Übung mit den angegebenen Wörtern die Dialoge verändern

Differenzierung   1. in Klassenarbeit
                  2. in Partnerarbeit
                 • wie vorgeschlagen eine kurze Geschichte für das Portfolio schreiben

AB   Lesen: den Lesetext in Übung 2 (Seite 100) in Klassenarbeit lesen und bearbeiten

---

Lektion 12 Was möchtest du machen?

☞   fragen und sagen, was man möchte; *Schulsachen* und *Tätigkeiten* (Wortschatz festigen); Verneinung mit
            nicht; 1. und 2. Pers. Sing. der Verben; bestimmter Artikel im Akkusativ (Festigung)

1 *Hören: In der Klasse*   Lektion 12 | S. 43

☞   Hörverstehen; Wortschatz *Schulsachen* festigen

            • das Bild anschauen und die Namen der Kinder vorlesen; L hilft bei der Aussprache

CD2/28   HINWEIS: Auf der CD sind 6 kurze Szenen. Wenn nötig, sollte nach jeder Szene die Pause
            verlängert werden, bis die S die Personen auf dem Bild anhand der genannten Schulsachen
            gefunden haben.

➲ 1a   • die Szenen einzeln hören; die *Schulsachen* heraushören und auf dem Bild suchen; bei dem
             Wort *Kreide* geht das nicht; die hat Simon wohl versteckt. Hier hilft der Name, um die Szene
             dem Bild zuzuordnen.

➲ 1b   • noch einmal die Szenen einzeln hören, in Partnerarbeit die sprechenden Personen suchen
             und auf folgende Weise aufschreiben:
             1 Alex – Lisa
             2 Tina – Uta
             3 Timo – Kati
             4 Lehrerin – Simon
             5 Jana – Elias
             6 Stefan – Jonas
            • die Szenen noch einmal hören und in der langen Pause zwischen den Szenen die genannten
             Schulsachen hinter die Namen der Personen schreiben
             Beispiel: 1   Alex – Lisa – *Schere*

➲ 1c   • wie in den Sprechblasen vorgeschlagen fragen und antworten

AB   Übung 1

Wortliste | Transkriptionen | Lösungsschlüssel | Tests | Feste im Jahr | Theater | L20 L19 L18 L17 Modul 5 | L16 L15 L14 L13 Modul 4 | L12 L11 L10 L9 Modul 3 | L8 L7 L6 L5 Modul 2 | L4 L3 L2 L1 Modul 1 | Start Frei | Einführung

2 Ratespiel

☞ Wortschatz *Schulsachen* und bestimmten Artikel im Akkusativ festigen

• die Bilder anschauen und versuchen, das Spiel zu verstehen

CD2/29
• den Spieldialog hören und mitlesen
• wie vorgeschlagen spielen; vor jeder Spielrunde die vier versteckten Sachen nennen, damit die Klasse weiß, wonach sie fragen muss

3 Dialoge selbst machen

☞ Satzstrukturen mit bestimmtem Artikel im Akkusativ anwenden

HINWEIS: siehe die Vorschläge im LHB Seite 32 zu Lektion 10, Übung 3
• die Satzanfänge lesen und Beispielsätze machen
• Minidialoge mit den Satzvorgaben machen: S1: *Ich möchte lesen.* – S2: *Hier hast du das Buch.*
• in Gruppenarbeit die Satzvorgaben auf Karten/Satzstreifen schreiben (2 verschiedene Farben); die Karten auf die Gruppentische legen; S1 nimmt eine (z.B. gelbe) Karte: *Gib mir bitte den Füller.* – S2 sucht die passende (z.B. rote) Karte für die Antwort: *Den Füller? Hier bitte.*
Variante 1: einen Satz großer Satzkarten herstellen und auf den Lehrertisch legen; 2 S kommen nach vorne, nehmen und zeigen 2 Satzkarten und sprechen ihren Dialog.
Variante 2: „Das 6-Richtige-Spiel" mit den Satzkarten auf dem Lehrertisch (siehe LHB S. 10, Punkt 5.1)
fakultativ: Unsinndialoge machen, die aber grammatikalisch richtig sein müssen; Beispiel: S1: *Ich möchte turnen.* – S2: *Hier, nimm den Pinsel.* Oder S1: *Gib mir bitte die Schere.* – S2: *Den Spitzer? Hier, bitte.*

AB Übung 2

4 Lesen: He! Tobi!

☞ Leseverstehen

➲ 4a
• den Text still lesen und die Bilder anschauen
• den ersten Abschnitt lesen, das Schlüsselwort nennen (*lesen*) und das passende Bild suchen; ebenso mit den folgenden Abschnitten (Lösung: BUCH)

➲ 4b CD2/30
• die Sätze aus dem Text hören und nachsprechen („Imitatives Nachsprechen")
• die Sätze noch einmal hören; nach jedem Beispiel unterbrechen; S suchen den Satz im Text und sprechen nach

➲ 4c CD2/31
• die Geschichte satzweise hören, mitlesen und nachsprechen
• die Geschichte ohne Unterbrechung hören, mitlesen und halblaut mitsprechen
• Übungen zur Steigerung der Lesefertigkeit:
  - den Text an irgendeiner Stelle, zum Beispiel dort, wo neue Redemittel vorkommen, unterbrechen; S lesen den nächsten Satz vor; dann die CD weiterlaufen lassen
  - Übung „Was kommt dann?" (siehe auch LHB S. 8, Punkt 2.3.3):
  Beispiel 1: L / später S liest einen Satz. – S suchen und lesen den nächsten Satz
  Beispiel 2: L / später S liest Satzanfang oder -ende. S suchen und lesen den ganzen Satz

Differenzierung
1. suchen und vorlesen
2. suchen und „Sprechlesen"
3. auswendig sprechen

• Übung „Wie heißt der Satz?" (siehe LHB S. 8, Punkt 2.3.3):
  Beispiel: L / später S nennt ein Schlüsselwort. S suchen und lesen den Satz

Differenzierung
wie bei der Übung „Was kommt dann?"
VORSCHLAG: beide Leseübungen auch in Partnerarbeit durchführen
• in Partnerarbeit den Dialog einüben (siehe LHB S. 5, Punkt 2.2.1)
• die Geschichte vorspielen; jeweils 2 oder 3 S übernehmen einen Dialog

AB Übung 3

5 Olaf!

Lektion 12 | S. 45

☞	Verneinung mit *nicht* und 2. Pers. Sing. der Verben einführen
CD2/32	• die Texte und Bilder (das untere Bild mit Olaf ausgenommen) zudecken; Olaf anschauen und die Fragen der S hören
➲ 5a	• noch einmal hören und mitlesen
➲ 5b	• die Sätze lesen und über richtig oder falsch entscheiden; die falschen Sätze korrigieren und vorlesen
AB	Übung 4

6 Fragen und Antworten

Lektion 12 | S. 45

☞	Verneinung mit *nicht* und 2. Pers. Sing. der Verben einüben
➲ 6a CD2/33	• die Fragen einzeln hören und unterbrechen, damit mehrere S nacheinander Olafs Antwort sprechen können; dann Kontrollhören • noch einmal hören; in der Pause sprechen alle S Olafs Antwort; dann Kontrollhören
➲ 6b	• die Klasse in 2 Gruppen einteilen (G1: Kinder – G2: Olaf); eine Frage hören; G1 wiederholt die Frage, G2 spricht Olafs Antwort; dann Kontrollhören; bei den folgenden Fragen tauschen die Gruppen die Rollen • Ausspracheschulung ohne CD: bewusstes Sprechen der Endung -*st*: L spricht vor: *Malst du?* -*st* sehr deutlich sprechen, beim Knacklaut -*t* leicht in die Hände klatschen; S sprechen nach und klatschen
AB	Übung 5

7 Spiel: Schwarzer Peter

Lektion 12 | S. 45

☞	Verneinung mit *nicht* und 2. Pers. Sing. der Verben einüben
	Spielerklärung siehe „Start frei", Seite 8, Übung 10 und LHB S. 12, Punkt 5.7 • L liest alle Fragen laut, S wiederholen und klatschen bei der Verb-Endung -*t* in die Hände; auf saubere, aber nicht übertriebene Intonation achten • Einüben der Verbformen, die nicht in Übung 5 vorkommen („Imitatives Nachsprechen", siehe LHB Seite 6, Punkt 2.2.3) • Übung „Fehler erkennen" (siehe LHB 6, Punkt 2.2.3): Beispiel: L: *du zeichnest – du zeichnest – du zeichne – du zeichnest – du zeichnest* • Vorübung zum Spiel „Schwarzer Peter": - Ratespiel: Ein S führt hinter der Klapptafel pantomimisch eine Tätigkeit aus. Alle S stellen Fragen mit den Verbformen von Übung 7; zunächst dabei ins Buch sehen, dann auswendig. - „Flüsterübung": L spricht flüsternd eine Frage oder eine Antwort; S wiederholen laut, einzeln oder im Chor - Kettenübung: S1 liest eine Frage, S2 liest die Antwort und dann eine andere Frage. S3 liest die Antwort usw.
➲ 7a	• in Gruppenarbeit Karten für das Spiel herstellen
➲ 7b	• in Kleingruppen „Schwarzer Peter" spielen; beim Ablegen von zwei passenden Karten Frage und Antwort vorlesen
AB	Übungen 6 und 7
AB	*Weißt du das noch?* (Seite 55) in Partnerarbeit bearbeiten
AB/Portfolio	*Das habe ich gelernt* (Seite 57/58) wie im AB Seite 6 vorgeschlagen für das Portfolio bearbeiten; wenn nötig bei *Das kann ich schon* (Kursbuch Seite 46) nachschauen
AB/Portfolio	den *Grammatik-Comic* (Seite 59) für das Portfolio bearbeiten; wenn nötig bei *Das kann ich schon* (Kursbuch Seite 46) nachschauen

AB/Wortliste	Arbeit mit der **Wortliste** zu den Lektionen 9–12 (Seite 56)

1. die *Gegenstände im Klassenzimmer* (Lektion 9) und die *Schulsachen* (Lektion 11) in der Wortliste suchen und mit den Artikelfarben (*blau*, *grün* oder *rot*) markieren; auf der Seite **Das kann ich schon** (Kursbuch Seite 46) nachschauen

WICHTIGER HINWEIS: die Wörter nur farbig markieren, aber noch nicht die Artikel auf die Linien hinter den Wörtern schreiben! Der bestimmte Artikel im Nominativ wird erst in Lektion 16 eingeführt!

2. alle *Schulsachen* (Lektion 11) und *Tätigkeiten* (Lektion 10) in zwei Gruppen untereinander an die Tafel schreiben; weiterhin auf Vorschlag des L Sätze aus der Wortliste, die man in Dialogen mit dem Wortschatz *Schulsachen* und *Tätigkeiten* kombinieren kann

Tafelanschrift:

Blatt	schreiben	Nimm (bitte) …!	O je!	… macht mir Spaß.
Schere	singen			
Turnzeug	basteln	Ich habe … (nicht) dabei.		Nimm … heraus.
	…			
		Möchtest du … ?	Was möchtest du denn machen?	
		Schade.	Was ist denn los?	Hier bitte.
		Ich möchte … .	Gib mir bitte … .	Danke.
		Tut mir leid.	Ich habe keine Lust.	

- in Klassenarbeit kürzere bzw. längere Dialoge machen
  Beispiele:
  Kurzer Dialog: S1: *Gib mir bitte die Schere!* – S2: *Hier bitte.*
  Längerer Dialog: S1: *Gib mir bitte die Schere!*
                                 S2: *Was möchtest du denn machen?*
                                 S1: *Ich möchte basteln. Basteln macht mir Spaß.*
                                 S2: *Tut mir leid. Ich habe die Schere nicht dabei.*
                                 S1: *Schade.*
- die Übung auch in Kleingruppen oder in Partnerarbeit durchführen
- als Schreibspiel mit einem Partner: Jeder S hat ein Blatt, schreibt den Anfang eines Dialogs darauf und gibt das Blatt an den Partner weiter. Jeder der beiden schreibt eine Reaktion auf den ersten Satz und gibt das Blatt wieder zurück; dann schreiben beide den Dialog weiter usw. Am Schluss in der Klasse die Dialoge vorlesen

CD2/15	3. das Lied *Was möchtest du denn machen?* (Lektion 10 Übung 4) mit anderen Kombinationen der Tätigkeiten zur Playback-Fassung singen
	4. mit dem Spielplan „Ein Spiel für alle Fälle" (Kursbuch Seite 100) Erklärung des Spielplans: siehe LHB Seite 12, Punkt 5.7
Material	die Bildkarten mit den *Tätigkeiten* von Lektion 10 Übung 5 und mit den *Schulsachen* von Lektion 11 Übung 10 jeweils für Gruppentische mit 4 Schülern; außerdem Spielfiguren und Würfel

- Ablauf des Spiels: Jeweils 4 S sitzen an Gruppentischen vor einem Spielplan. Die Bildkarten werden nach *Tätigkeiten* und *Schulsachen* getrennt auf 2 Stapel gelegt und umgedreht. S1 würfelt, kommt auf ein farbiges Feld und nimmt eine Karte vom *Schulsachen*-Stapel. S1 hat z.B. *Pinsel* gezogen und sagt: *Ich habe den Pinsel.* S1 nimmt dann eine Karte vom Stapel *Tätigkeiten*, z.B. *tanzen*. S1: *Ich habe den Pinsel. Ich möchte tanzen.* Falsch. S1 darf nicht noch einmal würfeln. Bei richtiger Aussage darf er noch einmal würfeln usw. Die Karten dann wieder unter den jeweiligen Stapel legen. Wer auf ein Feld mit dem Bild von Planetino kommt, darf noch einmal würfeln.
  Variante: zuerst die Karte vom Stapel *Tätigkeiten* nehmen

Themenkreis Meine Sachen

Sprechhandlungen	auffordern; spielen; Gegenstände beschreiben; Meinung äußern; fragen und antworten
Wortschatz	Kleidung; eins und viele
Grammatik	bestimmter Artikel im Nominativ und Akkusativ; Possessivartikel im Nominativ; Personalpronomen; Verbformen; Imperativ
AB	die Einstiegsseite (S. 61) in Partnerarbeit erarbeiten; wenn nötig im Kursbuch Lektion 5–8 und 9–12 oder in der Wortliste zu Lektion 5–8 und 9–12 im AB nachsehen

① und ② Comic
Modul 4 | S. 47

➲ 1a	• den ersten Comic still lesen und in Partnerarbeit mit den passenden Sätzen in den Sprechblasen unten ergänzen
CD2/34	• den Comic hören und die Lösung kontrollieren
CD2/35	• ebenso mit dem zweiten Comic
➲ 1b CD2/34-35	• die Comics hören und mitlesen • in Partnerarbeit einen der Comics einüben und szenisch darstellen fakultativ: die Comics bei einem Bunten Abend für Eltern und Mitschüler präsentieren

Lektion 13   Kleidung

☞	Gegenstände beschreiben; Meinung äußern; Wortschatz *Kleidung* einführen und einüben; den bestimmten Artikel im Akkusativ festigen

> 1 Hören: Vor dem Schaufenster
> 2 Hören   } als Einheit behandeln
> 3 Nachsprechen

① Hören: Vor dem Schaufenster
Lektion 13 | S. 48

☞	Hörverstehen: Wortschatz *Kleidung* einführen und einüben
CD2/36	• das Bild anschauen; den Anfang des Textes hören (bis: *Doch, du brauchst dringend ein paar neue Sachen.*); kurz in der Muttersprache über die Situation sprechen • den Anfang noch einmal hören und die Personen benennen Tafelanschrift: **Veronika, Lukas und Mama**
➲ 1a	• den ganzen Text hören und dabei das Bild mit den Kleidungsstücken anschauen
➲ 1b	• die Wörter still lesen und möglichst genau einprägen
➲ 1c	• den Text noch einmal in Abschnitten hören und auf die genannten Kleidungsstücke zeigen; da in den einzelnen Abschnitten fast immer mehrere Kleidungsstücke genannt werden, sollte L die genannten Wörter noch einmal wiederholen und viel Zeit zum Suchen lassen Vorschlag für das Unterbrechen des Textes: 1. nach (Sohn): *Den Mantel findest du nett? Den finde ich total doof.* L wiederholt: *Mantel – Pulli – Hose – Schuhe* 2. nach (Sohn): *Ich nicht!* L wiederholt: *Jacke* 3. nach (Sohn): *Vielleicht soll ich auch noch den Rock anziehen?* L wiederholt: *Hose – Hemd – Bluse – Rock* 4. nach (Tochter): *Und die Bluse ist auch nicht schlecht.* L wiederholt: *Rock – Bluse – Kleid – Tuch*

5. nach (Sohn): *Ich möchte aber Stiefel!*
L wiederholt: *Schuhe – Stiefel*
6. nach (Sohn): *Na und? Die Jeans finde ich super und das T-Shirt auch.*
L wiederholt: *Stiefel – Hose – Pulli – Jeans*
7. nach (Sohn): *Ich will aber das Hemd nicht!*
L wiederholt: *Hemd*
8. nach (Tochter): *Genau, Handschuhe, Mütze und Schal.*
L wiederholt: *Jeans – T-Shirt – Handschuhe – Mütze – Schal*
9. nach (Sohn): *Ach, lass mich doch in Ruhe!*
L wiederholt: *Schal – Mütze – Handschuhe*
Dann bis zum Ende hören und nicht mehr mitzeigen.

---

2 Hören

Lektion 13 | S. 49

☞   Wortschatz *Kleidung* einüben

CD 2/37
- die Wörter einzeln hören, unterbrechen und das Kleidungsstück auf dem Bild von Übung 1 suchen; die Übung mehrmals durchführen, dabei die Pause immer weiter verkürzen
- noch einmal hören; wer das genannte Kleidungsstück anhat, steht auf und zeigt auf das Kleidungsstück

---

3 Nachsprechen

Lektion 13 | S. 49

☞   Wortschatz *Kleidung* einüben

CD2/38
- Übung 1: die Wörter hören, auf dem Bild von Übung 1 mitzeigen und genau nachsprechen
- Übung 2: die Laute und Wörter hören und genau nachsprechen
- bei Bedarf die Übung „Fehler erkennen" (siehe LHB S. 6, Punkt 2.2.3) einsetzen

---

1 Hören: Vor dem Schaufenster (Fortsetzung)

Lektion 13 | S. 48

CD2/36
- den Dialog noch einmal in Abschnitten (siehe oben) hören und mitzeigen; L hilft nicht mehr
- den Dialog noch einmal ohne Unterbrechung hören und mitzeigen

➲ 1d
- die fünf Fragen lesen und das Verständnis abklären
- die erste Frage und die Auswahlantworten lesen, dann den Text bis zur richtigen Antwort hören; zu Frage 1: den Dialog hören bis Lukas: *Den Mantel findest du nett? Ich finde ihn doof.* S rufen *Stopp!* und nennen die richtige Antwort.
- ebenso mit den anderen Fragen:
  Frage 2: Veronika: bis *Also, ich finde die Jacke ganz nett.*
  Frage 3: Veronika: bis *Quatsch! ... Den möchte ich vielleicht.*
  Frage 4: Mutter: bis *In Ordnung, die Jeans ...*
  Frage 5: bis Ende: letzter Satz
  Lösung: BLUSE
Variante: In Partnerarbeit die Fragen und Antworten lesen und die richtigen Antworten herausfinden; das Lösungswort hilft dabei. Dann Kontrollhören; beim Hören der richtigen Lösung *Stopp!* rufen und die richtige Antwort noch einmal hören.

AB   Übungen 1 und 2

---

4 Hören: Platzwechselspiel

Lektion 13 | S. 49

☞   Wortschatz *Kleidung* einüben

➲ 4a
fächerübergreifend
- Falls möglich im Kunstunterricht Bild- und Wortkarten zu allen Kleidungsstücken mehrfach herstellen (In den Übungen 5 und 8 werden auch Bild- und Wortkarten benötigt); auf jede Bild- und Wortkarte einen Farbpunkt in der entsprechenden Artikelfarbe machen, *Gelb* für den Plural kommt jetzt dazu.

↪ 4b CD2/36
- den Spielablauf im Kursbuch anschauen; wenn nötig, in der Muttersprache erklären (siehe LHB S. 13, Punkt 5.8)
- wie vorgeschlagen spielen; bei Platzmangel auf dem Pausenhof oder in der Turnhalle

---

5 Memory®
Lektion 13 | S. 49

☞ Wortschatz *Kleidung* einüben und bestimmten Artikel im Akkusativ festigen

- mit dem Spiel „1, 2, 3 oder 4?" die Genera der Kleidungsstücke wiederholen (siehe LHB S.14, Punkt 5.8)
- „Tamburin-Spiel" (siehe LHB S. 10, Punkt 5.1); Beispiel: L: *Ich möchte … Mantel anziehen.* – Alle / später 1 S: *Ich möchte den Mantel anziehen.* usw.
- wie vorgeschlagen in Kleingruppen mit den Bild- und Wortkarten von Übung 4 Memory® spielen (siehe auch LHB S. 12, Punkt 5.7)

---

6 Wie findest du …?
Lektion 13 | S. 49

☞ Wortschatz *Kleidung* einüben und bestimmten Artikel im Akkusativ festigen

Vorschlag: die Bildkarten mit den Kleidungsstücken wie in Übung 1 angeordnet an der Tafel befestigen; die Spalten in den Artikelfarben markieren (blau = maskulin, grün = neutrum, rot = feminin, gelb = Plural)
- L und HP präsentieren den Dialog; dabei auf die Bildkarten an der Tafel zeigen

CD2/39	• den Dialog wie gewohnt einüben (hören – hören und mitlesen – hören und halblaut mitsprechen) • in Partnerarbeit einige Dialoge sprechen; auf die Bilder von Übung 1 zeigen • die Bildkarten an der Tafel ungeordnet aufhängen • in Partnerarbeit weitere Dialoge sprechen; auf die Bilder zeigen; L / später S zeigt auf zwei Bildkarten; zwei S sprechen den entsprechenden Dialog. L fragt: *Richtig?* – S antworten: *Richtig* oder sie korrigieren den Dialog • Klassenspiel: die Bildkarten mischen; die Klasse in zwei Gruppen teilen; jede Gruppe bekommt die Hälfte der Bildkarten Ein S von Gruppe 1 hält eine Bildkarte hoch und formuliert die entsprechende Frage: *Wie findest du die Jacke?* – Ein S von Gruppe 2 antwortet: *Gar nicht schön.* – Er hält dann eine andere Bildkarte hoch und stellt wieder eine Frage. Ein anderer S von Gruppe 1 antwortet usw. Wenn ein Fehler gemacht wird, ruft die Klasse *Stopp!* und korrigiert den Fehler.
AB	Übungen 3 und 4

---

7 Basteln
Lektion 13 | S. 50

☞ Wortschatz *Kleidung* und Redemittel zu *eine Meinung äußern* einüben

Material	Seiten aus Modekatalogen und Zeitschriften mitbringen
↪ 7a	• L erklärt, wenn nötig, die Aufgabe in der Muttersprache; jeder S beklebt ein Blatt mit Kleidungsstücken
↪ 7b	• die Redemittel im Kasten lesen und in Partnerarbeit wie angegeben fragen und antworten
↪ 7c Portfolio	• jeder S schreibt wie angegeben seine Meinung zu den Kleidungsstücken auf sein Blatt für das Portfolio
AB	Übung 5

8 | Quartett

☞	Wortschatz *Kleidung* und bestimmten Artikel im Akkusativ in einem Spiel anwenden
➲ 8a	• L erklärt in der Muttersprache, welche Karten ein Quartett ergeben
➲ 8b	• die Bildfolge ansehen und versuchen, die Spielregel zu verstehen; L erklärt, wenn nötig, in der Muttersprache
CD2/40	• den Spieldialog hören; mitlesen und einüben • den Spielablauf einmal mit einer Vierergruppe vor der Klasse demonstrieren; darauf hinweisen, dass beim Spiel gesprochen werden muss. Die Klasse ruft *Stopp!*, wenn sie einen Fehler hört. Der Spieler muss seinen Satz / seine Frage korrigieren. Erst dann gibt es die gewünschte Karte. • in Vierergruppen wie abgebildet spielen
AB	Übung 6

Lektion 14 Was ziehst du an?

☞	auffordern; fragen und antworten; Wortschatz *Kleidung* einüben; Imperativ Singular einführen; bestimmten Artikel im Akkusativ festigen

1 Lesen: Schi fahren

☞	Leseverstehen; Imperativ Singular einführen; Wortschatz *Kleidung* anwenden
	• Vorentlastung: L schreibt an die Tafel *Schi fahren* und erklärt die Bedeutung durch Gesten oder Zeichnung • L und HP: L fragt: *Du möchtest Schi fahren. Was ziehst du an?* – HP zählt fragend auf: *Handschuhe? Stiefel? Kleid?* S protestieren: *Nein, falsch!*; HP: *Hose? Rock?* S protestieren und nennen selbst weitere passende Kleidungsstücke.
➲ 1a	• die Geschichte still lesen und die Bilder ordnen. (Lösung: STIEFEL)
➲ 1b CD2/41	• noch einmal still lesen und die fehlenden Wörter ergänzen (*Stiefel / Ja klar / Mütze* – oder *Mütze / Ja klar / Stiefel*) • die Geschichte zur Kontrolle hören • noch einmal hören und die Zuordnung der Bilder überprüfen Vorschlag: nach zu den Bildern hinführenden Schlüsselwörtern unterbrechen: Unterbrechung 1: *Und die Stiefel?* – Bild T: Bastian zeigt auf die Stiefel. 2: *Ich habe die Handschuhe schon an.* – Bild I: Bastian zeigt demonstrativ die Handschuhe. 3: *Mach die Jacke zu.* – Bild E: Bastian macht seine Jacke zu. 4: *Und setz die Mütze auf.* – Bild F: Bastian setzt die Mütze auf. 5: *Ich habe die Schier nicht dabei.* – Bild L: Lilly ohne Schier. • „Tamburin-Spiel": den neuen Wortschatz einüben (siehe LHB S. 10, Punkt 5.1); Beispiel: L: *... die Jacke zu.* – S / alle S: <u>*Mach die Jacke zu.*</u> – L: *... in Ruhe!* – S / alle S: <u>*Lass mich in Ruhe.*</u> usw.
➲ 1c	• zur Beantwortung der Fragen die passenden Sätze oder Wörter im Text suchen und vorlesen • Vorschläge zur Steigerung der Lesefertigkeit: siehe LHB S. 8, Punkt 2.3.3

2 Spiel: Blau, grün, rot oder gelb?

☞	Wortschatz *Kleidung* und bestimmten Artikel im Akkusativ einüben
Material	Kleidungstücke und vier farbige Schachteln • Vorbereitung: das Spiel „1, 2, 3 oder 4?" mit dem Wortschatz *Kleidung* durchführen (siehe LHB S. 14, Punkt 5.8) Variante: Jeder S hat vier kleine Kärtchen mit Farbpunkten. L ruft ein Wort und alle S heben die passende Karte hoch. Beispiel: L / später S: *Hemd.* – Alle S heben die <u>grüne</u> Karte hoch. • die Bilder anschauen und den Dialog still lesen

CD2/42	• den Dialog hören und still mitlesen
	• noch einmal hören, mitlesen und halblaut mitsprechen
	• viele Kleidungsstücke liegen durcheinander auf einem Tisch / in einem Karton; L und HP spielen die Szene wie im Buch
	• das Spiel in der Klasse spielen; Kleidungsstücke in die vier vorbereiteten Farbschachteln einsortieren und wie angegeben dabei sprechen
	fakultativ mit verändertem Dialog:
	Variante 1: Alle Kleidungsstücke sind in die Farbschachteln einsortiert und werden nacheinander wieder herausgenommen. Beispiel:
	S1: *Gib mir bitte die Jacke.*
	S2: *Blau, grün, rot oder gelb?*
	S1: *Rot.*
	S2: *Hier bitte. Jetzt bist du dran.*
	Variante 2: als verändertes „Tamburin-Spiel" (siehe LHB S. 6, Abschnitt „Unterstützende Übungen"):
	Beispiel:
	S1: *Nimm bitte … Mantel.*
	S2: *Blau?*
	S3: (nimmt *Mantel* aus der Schachtel) *Ja, richtig. Du bist dran.*
	HINWEIS: Dieses Spiel zur Festigung des Artikels sollte oft wiederholt werden, auch mit anderen schon bekannten Nomen (*Schulsachen*). Natürlich kann das Spiel auch mit Bildkarten durchgeführt werden.
AB	Übung 1

3 Ratespiel

Lektion 14 | S. 52

☞	Wortschatz *Kleidung* und bestimmten Artikel im Akkusativ einüben
CD2/43	• das Bild anschauen, den Dialog hören und still mitlesen
	• den Text mit verteilten Rollen lesen; ein S agiert dazu wie auf dem Bild an den Farbschachteln
	• das Ratespiel in der Klasse durchführen; anstelle der Kleidungsstücke können auch Bildkarten verwendet werden
	Variante: das Kleidungsstück / die Bildkarte hinter dem Rücken verbergen

4 Spiel: Koffer packen

Lektion 14 | S. 52

☞	Wortschatz *Kleidung* und bestimmten Artikel im Akkusativ einüben
	• den Text auf vier S verteilt vorlesen und auf diese Weise die Spielregeln kennenlernen
	• das Spiel mit Bildkarten durchführen; dabei die Bildkarten in der genannten Reihenfolge an die Tafel hängen
	• das Spiel zunächst mit der ganzen Klasse, dann in Gruppen ohne visuelle Hilfe spielen

5 Zieh an! Setz auf!

Lektion 14 | S. 52

☞	Imperativ Singular einführen und einüben; Wortschatz *Kleidung* und bestimmten Artikel im Akkusativ anwenden
Material	einige Kleidungsstücke und eine Brille
	• Einführung durch L und einen S: L muss durch Gesten dem S Handlungshilfen geben
	L: *Zieh den Pulli an*! – S reagiert und zieht den Pulli an
	L: *Zieh die Jacke an!* – S reagiert
	L: *Zieh die Jacke aus!* – …
	L: *Zieh die Jacke an!* – …
	L: *Setz die Brille auf!* (L reicht S die Brille) – …
	L: *Setz den Hut auf!* – …

⮁ 5a CD2/44	• die Bilder anschauen und die Anweisungen hören; wenn eine Anweisung zu einem der drei Bilder passt, *Stopp!* rufen; L wiederholt den Satz
⮁ 5b CD2/44	• wie angegeben durchführen
⮁ 5c CD2/45	• alle S stehen an ihrem Platz, einige vor der Klasse; die Anweisungen hören und pantomimisch mitmachen; beim ersten Mal eventuell die Pausen verlängern, später nicht mehr • L / später S gibt die Anweisungen; die Pausen werden nach und nach immer kürzer
AB	Übung 2

6 Laute und Buchstaben: z

Lektion 14 | S. 53

	• L schreibt den Buchstaben *z* an die Tafel und demonstriert die Aussprache wie auf dem Foto. Erklärung: Die Zeigefinger nähern sich an. Im Moment des Berührens entsteht in der Vorstellung ein Funke; die Finger trennen sich schnell wieder. Im Moment des Berührens und des sich wieder Trennens *zzzz* oder ein Wort mit *z* sprechen; S machen mit und imitieren.
⮁ 6a,b CD2/46	• wie angegeben durchführen; das Nachsprechen mit der Zeigefinger-Übung auf dem Bild unterstützen
⮁ 6c CD2/47	• wie angegeben durchführen; mit der Zeigefinger-Geste das Sprechen unterstützen fakultativ: wenn nötig, die Übung „Fehler erkennen" einsetzen (siehe LHB S. 6, Punkt 2.2.3)
AB	Übung 3

7 Abzählreim

Lektion 14 | S. 53

☞	Imperativ Singular einüben; Wortschatz *Kleidung* und bestimmten Artikel im Akkusativ anwenden
Material	viele Kleidungsstücke
	• Vorbereitung: L und die Klasse stehen im Kreis. In der Mitte des Kreises liegen verschiedene Kleidungsstücke.
CD2/48	• Teil 1 des Abzählreims hören; L zählt passend zum Text pantomimisch ab und bedeutet einem S, den Mantel anzuziehen • *Zieh doch mal den Mantel an!* einüben („Imitatives Nachsprechen") • im Kreis bleiben; Abzählreim mit anderen Kleidungsstücken sprechen, bis alle Kleidungsstücke verteilt sind
CD2/48	• auch Teil 2 des Reims hören und abzählen; S zieht den Mantel aus • Teil 2 einüben und mit dem Kreisspiel weitermachen, bis alle Kleidungsstücke wieder auf dem Haufen liegen
AB	Übung 4

8 So ein Quatsch!

Lektion 14 | S. 53

☞	Imperativ Singular einüben; Wortschatz *Kleidung* und bestimmten Artikel im Akkusativ anwenden
	HINWEIS: Quatschsätze müssen immer grammatikalisch richtig sein! • die Bilder ansehen und den Sprechblasentext still lesen
⮁ 8a	• die Sätze korrigieren und vorlesen fakultativ: die korrigierten Anweisungen ins Heft schreiben
⮁ 8b	• das Bild anschauen, die Aufgabe erklären und wie vorgeschlagen durchführen fakultativ: Prämierung der schönsten Quatschbilder
⮁ 8c Portfolio	• wie angegeben für das Portfolio durchführen

Lektion 15 Hanna und Heike

☞ fragen und antworten; Gegenstände beschreiben; Meinung äußern; Wortschatz *Kleidung* (Wiederholung); *eins und viele* (Singular und Plural); Possessivartikel im Nominativ (*mein/meine, meine* Plural); Personalpronomen *es* und *sie* (Plural)

> 1 Nach dem Sport
>
> 2 Lied: 1, 2, 3 und 4, 5, 6
>
> } als Einheit behandeln

1 Nach dem Sport

Lektion 15 | S. 54

☞ Possessivartikel im Nominativ (*mein/meine, meine* Plural) und Personalpronomen *es* und *sie* (Plural) einführen und einüben

- Vorbereitung: L legt einige seiner Kleidungsstücke (z.B. Mantel, Schal, Jacke, Mütze, Hut oder Handschuhe) irgendwo im Klassenraum sichtbar hin.
- L: (gestikuliert suchend) *Wo ist denn mein Schal? Mein Schal ist weg.*
  HP: *Dein Schal? Hier.*
  L: *Ach, da ist er ja.* (*Er* ein wenig betonend)
- weitere Dialoge mit *sie*, *es* und *sie* (Plural)
- mit der Buchstabier-Übung den Wortschatz *Kleidung* aktivieren; beim Buchstabieren schnell sprechen; Beispiel: S1: *R-o-c-k* – einzelne oder alle S: *Rock*. Vier Farbpunkte für die Artikel-Spalten an die Tafel malen und die Wörter eintragen (s. Schritt 1); Abstand lassen, damit man später die Bildkarten über die Wörter hängen kann

Tafelanschrift 1 (Schritt 1):

Rock	Kleid	Hose	Schuhe
Mantel		Jacke	

Tafelanschrift 2 (Schritt 2):

Rock			Schuhe

CD2/49
- Tafelanschrift: *Hanna und Heike*
- Bild 1 anschauen, den Text zudecken und den ersten Teil des Dialogs hören; feststellen, wer auf dem Bild Hanna bzw. Heike ist
- beide Bilder anschauen, den Text zudecken und den ganzen Dialog hören
- noch einmal hören und mitlesen
- noch einmal hören, mitlesen und halblaut mitsprechen
- an der Tafel *mein/meine* neben die Farbpunkte schreiben; an der Tafel (wie im Kursbuch) unter die Wortlisten die bereits bekannten Personalpronomen *er* und *sie* schreiben; dann auch *es* und *sie* (Plural)
- einüben: Bildkarten (*Kleidung*) über die Wörter an der Tafel hängen (s. Schritt 2)
  L / später S: *Wo ist denn mein Pulli?*
  S: *Da ist er doch.* (S zeigen zur Bildkarte an der Tafel)
  L / später S: *Wo sind denn meine Schuhe?*
  S: *Da sind sie doch.*

AB   Übung 1

2 Lied: 1, 2, 3 und 4, 5, 6

Lektion 15 | S. 54

☞ Possessivartikel und Personalpronomen einüben; Zahlen 1–20 wiederholen

HINWEIS: Das Lied ist aus dem Themenkreis *Meine Familie* bekannt. Auf der CD ist deshalb nur die Playbackfassung für vier Strophen.
- alle Strophen still lesen

CD2/50+51
- eine Strophe der Playback-Fassung hören
- die vier Strophen zur Playback-Fassung singen; die vier genannten Kleidungsstücke an der Tafel durchstreichen oder nur die Bildkarte wegnehmen
- weitere Strophen singen, bis alle Wörter „verbraucht" sind

1 Nach dem Sport (Fortsetzung)

Lektion 15 | S. 54

CD2/49	• den Dialog zeilenweise hören, mitlesen und nachsprechen
	• den Dialog in Partnerarbeit wie gewohnt einüben und vorlesen ("Sprechlesen", siehe LHB S. 6, Punkt 2.2.1)
	• den Dialog zum zweiten Bild mit verschiedenen Kleidungsstücken szenisch darstellen
AB	Übung 2

3 Hören: Wir gehen ins Kaufhaus

Lektion 15 | S. 55

☞	Hörverstehen
➲ 3a CD2/52	• die Bilder anschauen und den Dialog bis *Natürlich komme ich mit.* hören; das zu diesem Abschnitt passende Bild suchen und das Schlüsselwort nennen, das zur Lösung geführt hat (Bild SCH, Schlüsselwort *Gitarre*).
	• den Dialog in weiteren Abschnitten hören und jeweils das passende Bild suchen
	Abschnitt 2 bis: *Da sind wir schon im Kaufhaus TOP. Los, rein!*
	Abschnitt 3 bis: *Erst kaufst du deine Schulsachen, und nachher gehen wir zu den Spielsachen. Okay?*
	Abschnitt 4: bis zum Ende
	(Lösung: SCHULE)
	• den Dialog noch einmal ohne Unterbrechung hören und die Lösung überprüfen
➲ 3b	• die Wörter auf Karten schreiben; zusätzlich große Wortkarten für den Lehrertisch herstellen
➲ 3c	• wie angegeben durchführen; ein S agiert mit den großen Wortkarten vorne am Lehrertisch

4 Hören: In der Schreibwarenabteilung

Lektion 15 | S. 55

☞	Hörverstehen einer Lautsprecherdurchsage im Kaufhaus; Pluralform einiger *Schulsachen* einführen
	• den Wortschatz *Schulsachen* mit der ABC-Treppe aktivieren
	• Die ABC-Treppe an die Tafel zeichnen; einzelne S nennen ein Wort, zum Beispiel *Block*. S kommt zur Tafel und schreibt das Wort auf die entsprechende Linie.

Tafelanschrift:

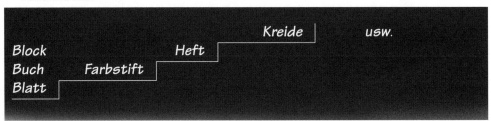

• mit dem Spiel „1, 2 oder 3?" das Genus der *Schulsachen* wiederholen (siehe LHB S. 14, Punkt 5.8)
• die Wörter an der Tafel wie gewohnt in eine farbig gekennzeichnete Artikel-Tabelle eintragen (Platz für die Pluralformen lassen)

➲ 4a CD2/53	• die Abbildungen der *Schulsachen* anschauen und die Lautsprecherdurchsage hören
➲ 4b	• den Text auf den Schildern still lesen
➲ 4c	• die Durchsage noch einmal hören und dabei auf die passenden Gegenstände zeigen; die Pause jeweils verlängern, damit die S Zeit haben, noch einmal die Texte zu lesen
	• Informationen entnehmen: L: *Was gibt es da für 6 Euro?* – S suchen, lesen und sprechen: *10 Farbstifte.* usw.
	HINWEIS: Das Wort *für* ist neu, es muss aber nicht aktiv gelernt werden. Die Fragen soll also nur L stellen.
	• Übung zu Singular und Plural: L schreibt die Zahlen 1–20 in Ziffern an die Tafel. L / später S: *Blatt* (L zeigt auf die Ziffer 7) – Alle S: *7 Blätter* usw.

* Variante: als Spiel „Dalli-Dalli" mit jeweils einem S (siehe LHB S. 10, Punkt 5.1)
* in der Tabelle an der Tafel die Pluralformen ergänzen; auch *Comic/Comics* und *Geschichte/Geschichten* in die Tabelle eintragen

CD 2/50+51	fakultativ: das Lied von Übung 2 mit dem Wortschatz *Schulsachen* singen
AB	Übungen 3 und 4

---

5 Laute und Buchstaben: ck
Lektion 15 | S. 55

	* das Bild mit dem Affen anschauen und die Laute imitieren
➲ 5a CD2/54	* die Wörter hören und genau nachsprechen
➲ 5b CD2/55	* die Sätze still lesen; L schreibt die Wörter mit *ck* an die Tafel und markiert *ck* und den kurzen Vokal davor; dann wie angegeben durchführen
AB	Übung 5

---

6 Lesen: Bei den Spielsachen
Lektion 15 | S. 56

☞	Leseverstehen; einige Pluralformen aus dem Wortschatz *Kleidung* einführen und einüben (*Kleider, Hosen, Jacken, Pullis*); bekannte Redemittel anwenden
➲ 6a	* das Bild anschauen und die Geschichte still lesen; die genannten Puppenkleider auf dem Bild suchen
➲ 6b	* einen der Sätze vorlesen, die entsprechende Aussage im Text suchen und vorlesen; dann über *richtig* oder *falsch* entscheiden; eventuell die Sätze korrigieren * Tafelanschrift: *Kleid viele _____* S ergänzen den Plural, suchen die drei anderen Pluralformen im Text und schreiben Singular und Plural an die Tafel. Die bereits bekannten Pluralformen von Übung 1 hinzufügen; L erklärt, dass *Jeans* immer Plural ist.
CD2/50	* das Lied *1, 2, 3 und 4, 5, 6* mit den vier neuen Pluralformen singen (*Wo sind denn meine … ?*) * Übungen zur Steigerung der Lesefertigkeit: siehe LHB S. 8, Punkt 2.3.3

---

7 Kleine Geschichten
Lektion 15 | S. 56

☞	Possessivartikel im Nominativ und Personalpronomen anwenden
➲ 7a	* die Sätze still lesen; L erklärt die Aufgabenstellung, wenn nötig in der Muttersprache. L erklärt, dass der Punkt und das Rechteck vor den Sätzen jeweils für einen der beiden Sprecher stehen. * eine der kleinen Geschichten zusammen mit der Klasse entwickeln: L: *Meine Schere ist weg.* L fragt: *Was kommt dann?* S: *Deine Schere? Hier.* L fragt: *Und was kommt dann?* – S: *Ach, da ist sie ja!* * S erarbeiten in Partnerarbeit die drei anderen Geschichten und lesen sie vor. Lösung: 1. *Wo sind denn meine Hefte? – Hier. – Ach, da sind sie ja!* 2. *Meine Schere ist weg. – Deine Schere? Hier. – Ach, da ist sie ja!* 3. *Wo sind denn nur meine Farbstifte? – Deine Farbstifte sind hier. – Ach ja, danke.* 4. *Was ist denn los? – Mein T-Shirt ist weg. – Quatsch! Hier ist es doch.*
➲ 7b	* das Bild genau ansehen und die Schulsachen benennen; dann weitere Dialoge machen und vorlesen * die Geschichten von Aufgabe a und eine neue Geschichte ins Heft schreiben
AB	Übung 6

Lektion 16 Herzlichen Glückwunsch!

☞ Gegenstände beschreiben; Wortschatz *Kleidung* (festigen); bestimmter Artikel im Nominativ; Verbformen

---

1 Hören: Mein Geburtstag

Lektion 16 | S. 57

☞	Hörverstehen; bestimmten Artikel im Nominativ einführen
Material	Kärtchen mit den bestimmten Artikeln für die Tabelle an der Tafel (siehe Kursbuch S. 57 unten) vorbereiten
	• L und HP (HP hat einen Namen): L: *Herzlichen Glückwunsch!* (L schüttelt HP die Hand/Pfote.) *Wie alt bist du jetzt?* – HP: *10.* – L: *10 Jahre?* – HP: *Ja.* – L zur Klasse: *NN hat heute Geburtstag.* L spricht vor: *Herzlichen Glückwunsch!* S wiederholen im Chor. • das Bild anschauen; Tafelanschrift: *Tina hat Geburtstag.* L: *Wie alt ist Tina jetzt?* S erkennen, dass man nur die Kerzen auf dem Kuchen zählen muss.
➲ 1a CD2/56	• das Bild anschauen und in der Muttersprache über die Situation sprechen; dann die Geschichte hören • die Geschichte noch einmal hören und auf die jeweils sprechende Person zeigen • die Tabelle wie in Übung 2 ohne die Artikel an der Tafel vorbereiten; die Geschichte noch einmal hören; wenn ein Geschenk genannt wird, *Stopp!* rufen und das Kleidungsstück in die Tabelle eintragen Tafelanschrift:

Rock	T-Shirt	Mütze	Schuhe
Schal		Jacke	

L: *Der Rock ist von Mama und Papa.* – L hängt das Kärtchen mit dem Artikel *der* an den richtigen Platz.
L: *Das T-Shirt ist weiß.* L / später S hängt das Kärtchen mit dem Artikel *das* an den richtigen Platz usw.
fakultativ: „Platzwechselspiel" (siehe Lektion 13 Übung 4); Vorschlag für die Wortauswahl: *Geburtstag – Herzlichen Glückwunsch – die Schuhe – schwarz – blau – der Rock – rot – Mama – Papa – die Jacke – schön – blau – weiß – das T-Shirt – der Schal – super – die Mütze – gelb*

➲ 1b CD2/57	• die Fragen hören, zunächst nur die Farbe nennen; dann Kontrollhören • Frage und Antwort hören und den ganzen Satz nachsprechen • die Frage hören, im ganzen Satz antworten; Kontrollhören und die Antwort wiederholen; S dürfen während der Übung die Tabelle mit den Artikeln an der Tafel oder im Buch ansehen
➲ 1c	• die Sätze still lesen und in Partnerarbeit über *richtig* oder *falsch* entscheiden • zur Kontrolle die Geschichte noch einmal hören; dann alle Sätze richtig vorlesen
AB	Übung 1

---

2 Basteln und Raten

Lektion 16 | S. 57

☞	bestimmten Artikel im Nominativ einüben
Material	einige große Plakatblätter, farbiges Papier, Scheren, Kleber
➲ 2a fächerübergreifend	• in Gruppenarbeit die Blätter mit den Kleidungsstücken wie vorgeschlagen herstellen, wenn möglich im Kunstunterricht; die Arbeitsanweisung in der Muttersprache erklären
➲ 2b	• den Spieldialog lesen; zunächst im Plenum und dann in Gruppen spielen; bei *Der da? – Das da? …* den Artikel etwas betont sprechen und auf den Gegenstand deuten Variante: die Klasse in zwei Gruppen einteilen; die S von G1 legen jeweils ein Kleidungsstück auf einen Tisch, immer mehrere von einer Sorte, also mehrere Schals, Jacken usw. Ein S von G1 steht hinter dem Tisch, ein S von G2 kommt und muss raten. Beispiel: S1: *Mein Schal ist hüpe küre.* – S2: *Der da?* – S1: *Nein.* – S2: *Der da?* – S1: *Richtig.* (oder *Falsch.*). Nach zweimaligem Raten gibt es je nach Erfolg oder Misserfolg einen Punkt für die Gruppe.
AB	Übung 2

3 Kimspiel

Lektion 16 | S. 58

☞	bestimmten Artikel im Nominativ einüben
Material	die Bildkarten von Lektion 13 Übung 8 (*Kleidung*) und die Kärtchen mit den bestimmten Artikeln
CD2/58	• die Bilder genau anschauen; den Text hören, still mitlesen und versuchen, die Spielregel zu verstehen • die Wortkarten mit den Artikeln wie abgebildet an die Tafel hängen und die Bildkarten in die Spalten einsortieren VORSCHLAG: Die Bildkarten liegen ungeordnet auf einem Tisch. S1 zieht eine Karte (*Stiefel*) und ruft *Stiefel*: S2 hängt das Wort an die richtige Stelle. S2 zieht die nächste Karte usw. • das *Kimspiel* mit der ganzen Klasse spielen Variante: in Gruppen spielen; die Karten liegen dann auf einem Schülertisch
AB/Wortliste	zu Lektion 13: beim Wortschatz *Kleidung* jeweils die Wörter mit den Artikelfarben markieren und den bestimmten Artikel eintragen
AB	Übung 3

4 Das weiß ich noch!

Lektion 16 | S. 58

☞	bestimmten Artikel im Nominativ einüben
	• vorbereitende Übung ohne Kursbuch: die Klasse in zwei Gruppen einteilen; sieben S von G1 (oder mehr) stehen vor der Klasse. Alle S von G2 schauen sich genau an, was diese S anhaben. Die sieben S von G1 stellen sich dann hinten in den Klassenraum, sind also für die anderen nicht mehr sichtbar. G2 versucht nun, sich an die Kleidung der sieben S zu erinnern. Einige S von G1 sind Spielleiter und fragen. Beispiel: *Wie ist der Rock von NN?* – G2: *Der Rock von NN ist …* usw. Ein Punkt für jede richtige Antwort. Nach zehn Fragen (vorher die Anzahl der Fragen festlegen) Gruppenwechsel
CD2/59	• Spielvariante wie im Kursbuch abgebildet: die Bilder anschauen und den Text mitlesen; ein S stellt sich vor die Klasse und schaut sich die Kleidung der Mitschüler genau an; dann wie im Kursbuch dargestellt spielen und sprechen
AB	Übung 4

5 E-Mail von Tina

Lektion 16 | S. 58

☞	bestimmten Artikel im Nominativ anwenden; Farben und Adjektive wiederholen
	• in Partnerarbeit die E-Mail lesen und ergänzen; die meisten der fehlenden Wörter findet man in den korrigierten Sätzen von Übung 1, Aufgabe c
➲ 5a CD2/56	• zunächst noch einmal die Geschichte von Übung 1 hören; dann die E-Mail ins Heft schreiben
➲ 5b fächerübergreifend	• wie angegeben durchführen, nach Möglichkeit im Kunstunterricht

6 Würfelspiel

Lektion 16 | S. 59

☞	Wortschatz *Familie, Schulsachen* und *Kleidung* und bestimmten Artikel im Nominativ anwenden
	HINWEIS: zur Vorbereitung auf das Spiel müssen in die Wortlisten im Arbeitsbuch die Artikel zum Wortschatz *Familie* (Lektion 5–8) und *Schulsachen* (Lektion 11) eingetragen werden. • Wortschatz *Familie*: - in Klassenarbeit alle nennen, die zu einer Familie gehören können, auch *Hund* und *Katze*; L schreibt die Wörter in eine Artikeltabelle an die Tafel

Vater	**Kind**	**Mutter**	**Eltern**
Papa		**Mama**	
	Baby		
Bruder		**Schwester**	**Geschwister**
(Hund)		**(Katze)**	
(Freund)		**(Freundin)**	

fakultativ: das Familienbild von Lektion 5 Übung 3 anschauen und beschreiben
Beispiel: *Das ist der Vater. Er heißt … usw.*
- die Wörter in der Wortliste zu den Lektionen 5–8 suchen, mit Artikelfarben markieren (auch *gelb* für den Plural) und den jeweiligen Artikel eintragen
• Wortschatz *Schulsachen*:
HINWEIS: Die Wörter wurden bereits am Schluss von Themenkreis 3 (siehe die Vorschläge zur Arbeit mit den Wortlisten) im Arbeitsbuch farbig markiert. Die Artikel können jetzt eingetragen werden, ebenso die Pluralformen von Lektion 15 Übung 4.

AB	Übung 5 fakultativ: Ratespiel in Gruppen mit dem Wortschatz *Schulsachen* zur Festigung des bestimmten Artikels im Nominativ: Die Klasse wird in zwei Gruppen eingeteilt. Jeder S von G1 legt einen Schulgegenstand auf den Lehrertisch. Ein S von G2 kommt nach vorne, nimmt einen Gegenstand, überlegt, wem der wohl gehört und sagt z.B.: *Der Spitzer ist von NN. –* G1: *Falsch.* oder *Richtig.* Dann ist der Nächste dran. Die Anzahl der Versuche wird festgelegt. Die G mit den meisten richtigen Antworten hat gewonnen.

Durchführung des Würfelspiels:

Material	Würfel und Spielfiguren
	- L erklärt das Spiel in der Muttersprache - die drei Beispiele vorlesen und mit den S besprechen - die Aufgaben zu weiteren (wenn nötig zu allen) Feldern vorlesen und in Klassenarbeit die Antwort sagen - an Gruppentischen in Vierer-Gruppen spielen
Differenzierung	1. vor Spielbeginn alle Wörter der drei Wortschatzbereiche in eine Artikeltabelle an die Tafel / auf ein großes Plakat schreiben; S können dann immer die Richtigkeit ihrer Antworten kontrollieren 2. ohne visuelle Hilfe
AB	*Weißt du das noch?* (S. 71) in Partnerarbeit bearbeiten
AB/Portfolio	*Das habe ich gelernt* (S. 73/74) wie im AB S. 6 vorgeschlagen für das Portfolio bearbeiten; wenn nötig bei *Das kann ich schon* (Kursbuch S. 60) nachschauen
AB/Portfolio	den *Grammatik-Comic* (S. 75) für das Portfolio bearbeiten; wenn nötig bei *Das kann ich schon* (Kursbuch S. 60) nachschauen
AB/Wortliste	Arbeit mit der *Wortliste* zu den Lektionen 13–16 Eintrag von Pluralformen in die Wortlisten: • die neuen Pluralformen aus Lektion 15 Übung 6 (*Hosen, Jacken, Pullis, Kleider*) eintragen • die Pluralformen von der Seite *Das kann ich schon* (Kursbuch S. 60) in die Wortliste eintragen, soweit das nicht schon geschehen ist. Einige Wörter (*Schulsachen*) gehören in die Wortliste zu Lektion 11. • weiterer Eintrag in die Wortliste *Schulsachen* in Lektion 11: Pluralformen aus Lektion 15 Übung 4 und dazu die Wörter aus Lektion 15, AB Übung 3 Übung mit der Wortliste: • vom Wortschatz *Kleidung* alle Wörter, von denen Singular und Plural bereits bekannt sind, in eine Artikeltabelle an die Tafel schreiben. Daneben ungeordnet die Wörter *super, toll, (sehr) schön, süß, richtig schön.* Zwei S stehen vor einem Schaufenster mit *Kleidung* und sprechen über die Sachen; S1 ist immer begeistert: *Sieh mal, der Schal ist super. –* S2: *Ich habe schon sieben Schals.*

Themenkreis Spielen und so weiter

Sprechhandlungen	sagen, was man nicht kann; reagieren; Gegenstände beschreiben
Wortschatz	Spiel und Spaß; Tätigkeiten
Grammatik	W-Frage (*Warum?*); bestimmter Artikel im Nominativ; unbestimmter Artikel im Nominativ; Verformen; Modalverb *können*
AB	die Einstiegsseite in den Themenkreis (S. 77) in Partnerarbeit bearbeiten; wenn nötig im Kursbuch oder in der Wortliste im AB nachschauen

1 und 2 Comic
Modul 5 | S. 61

➲ 1a	• die Sprechblasentexte unten lesen; dann die beiden Comics still lesen und die Lücken ergänzen
1b CD3/2-3	• die Comics hören und mitlesen • die Comics satzweise hören und nachsprechen; dann in Partnerarbeit einüben und Rollenlesen

Lektion 17 Was ist denn los?

☞	sagen, was man nicht kann; reagieren; Modalverb *können* (1./2. Pers. Sing.) einführen und einüben; W-Frage (*Warum?*)

1 So ein Mist!
Lektion 17 | S.62

☞	Modalverb *können* (1./2. Pers. Sing.) und *Warum*-Frage einführen und einüben; Possessivartikel und Personalpronomen im Nominativ wiederholen
	• den Text zudecken, das Bild anschauen und Vermutungen über die Handlung anstellen; L steuert durch Fragen: *Was sagt der Junge / das Mädchen? – Was möchte der Junge?*
CD3/4	• den Text zudecken, das Bild anschauen und den Dialog hören • noch einmal hören und mitlesen • L: *So ein Mist!* und *Das gibt's doch nicht* durch Gesten erklären (*Meine Brille ist weg. Das gibt's doch nicht.* Verzweifelt suchen, die Schultern anheben und die Arme nach oben strecken) • den Dialog hören, mitlesen und halblaut mitsprechen • die neuen Satzstrukturen durch „Imitatives Nachsprechen" einüben (siehe LHB S. 6, Punkt 2.2.3) • den Dialog in Partnerarbeit einüben; dann vorlesen („Sprechlesen"/Rollenlesen) • die Varianten (*Ebenso mit:*) im Plenum ergänzen und an die Tafel schreiben S1 ruft: *Rucksack* – S2: *zur Schule gehen* S1 ruft: *Malkasten* – S2: … • Übung zu *Ich kann …* : L und HP spielen eine Miniszene: HP: *So ein Mist. Ich kann nicht lesen.* L: *Was ist denn los?* HP: *Mein Buch ist weg.* Dann L + S und S + S; später zur Intensivierung in Partnerarbeit mit mehreren Beispielen; auch Quatsch-Sätze sind erlaubt: *Ich kann nicht schreiben. Mein Fußball ist weg. – So ein Quatsch!* • in Partnerarbeit den Dialog mit den Varianten (*Ebenso mit:*) einüben, vorlesen oder szenisch darstellen
CD3/5	• Einführen und Einüben: *Warum*-Frage und *du kannst …* HP: *Ich möchte zeichnen, aber ich kann nicht.* L: *Warum kannst du denn nicht zeichnen?* (*Warum* gestisch unterstützen) HP: *Mein Pinsel ist weg.* L: *Ist das dein Pinsel?* HP: *Ach ja. Danke.* L und HP machen weitere Beispiele, auch mit Pluralformen. Die *Warum*-Frage durch „Imitatives Nachsprechen" einüben und dann in den Dialogen mitsprechen.

- den Dialog hören und mitlesen
- den Dialog satzweise hören, mitlesen und nachsprechen
- in Partnerarbeit den Dialog einüben und szenisch darstellen
- Übung für Singular und Plural:
  L/HP: *Meine Schere ist weg.*
  einzelne / alle S: *Ist das deine Schere?*
  L/HP: *Meine Filzstifte sind weg.*
  S: *Sind das deine Filzstifte?*
- weitere Dialoge mit den Varianten oben vorbereiten und szenisch darstellen

AB	Übungen 1, 2 und 3

---

2   Comic: Was ist denn los?   Lektion 17 | S.62

☞	einen Comic ergänzen und selbst schreiben
➲ 2a, b	• wie angegeben durchführen Vorschlag für Aufgabe b: *Giraffe – Basketball spielen; Affe – lesen* (Buch ist weg)

---

3   Laute und Buchstaben: ch   Lektion 17 | S.63

CD3/6+7	• Aufgaben wie angegeben durchführen
AB	Übung 4

---

4   Dialoge selbst machen   Lektion 17 | S.63

☞	Redemittel und Grammatik von Übung 1 einüben
	• die Satzstrukturen still lesen und in Klassenarbeit einige der Lückensätze ergänzen; mehrere Möglichkeiten nennen • wie vorgeschlagen in Partnerarbeit Dialoge erarbeiten und vor der Klasse szenisch darstellen Variante: Wer macht den längsten Dialog? – Die Klasse in vier Gruppen einteilen; jede Gruppe bereitet einen möglichst langen Dialog vor; dann vor der Klasse vortragen. Beispiel: S1: *Ich möchte malen, aber ich kann nicht.* S2: *Warum denn nicht? / Warum kannst du denn nicht malen?* S3: *Meine Filzstifte sind weg.* S4: *So ein Quatsch.* S5: *Doch, sie sind weg.* S6: *Das gibt's doch nicht.* S7: …
Differenzierung	1. beim Vortrag, wenn nötig, ins Kursbuch sehen 2. ohne ins Buch zu sehen fakultativ: in Partnerarbeit eine Dialogkette auf ein gemeinsames Blatt schreiben; S1 schreibt den ersten Satz und gibt das Blatt zu S2. Der schreibt die Reaktion auf Satz 1, gibt das Blatt wieder zurück usw. Dann den Kettendialog vorlesen. Wer hat den längsten Dialog gemacht?
AB	Übung 5

---

5   SMS   Lektion 17 | S.63

☞	Redemittel der Lektion anwenden
➲ 5a	• Aufgabe wie angegeben durchführen (Lösung: 1+6 / 2+5 / 3+4)
➲ 5b	• die SMS-Nachrichten aufschreiben und ergänzen • eine SMS-Kette machen (mündlich); eventuell in Partnerarbeit
➲ 5c	• eine längere SMS-Kette schreiben; entweder die angegebenen Texte neu kombinieren (z.B. 3+4+5) oder eine eigene Begründung ergänzen (z.B. 1+3+2+ eigene Begründung)

Lektion 18 So viele Sachen!

☞ Gegenstände beschreiben; reagieren; Wortschatz *Spiel und Spaß; Tätigkeiten*;
Verbformen (2. Pers. Pl.); bestimmter Artikel im Nominativ (Wiederholung)

> 1 Hören: Was wünschst du dir?
>
> 2 Nachsprechen
>
> } als Einheit behandeln

1 Hören: Was wünschst du dir?
Lektion 18 | S. 64

☞ Hörverstehen; Wortschatz *Spiel und Spaß* einführen und einüben

• S schauen die Bilder an und sprechen in der Muttersprache darüber, welche Sachen sie selbst haben

➲ 1a CD3/8
• die Bilder anschauen und den Text hören
• den Text noch einmal hören, die Bilder anschauen und auf die bereits bekannten Gegenstände zeigen

➲ 1b
• die Wörter still lesen und mithilfe der Nummern den Bildern zuordnen

➲ 1c
• den Text noch einmal hören und auf die Bilder zeigen

Differenzierung
1. nach jeweils ca. 3–4 Aussagen unterbrechen, damit S die Gegenstände suchen können
2. den Text ohne Unterbrechung hören und mitzeigen
VORSCHLAG: Die Vorschläge zur Differenzierung können auch als Lernschritte genommen werden.
fakultativ: „Platzwechselspiel" (siehe LHB S. 13, Punkt 5.8); Vorschlag für die Wortauswahl: die Wörter der Liste von Übung 1; da die Wortliste sehr viele Wörter enthält, könnten folgende weggelassen werden: *Ball, CD-Player, MP3-Player, Gitarre, Karten, Comics*. Bei sehr kleinen Klassen vielleicht zweimal mit verschiedenen Wörtern spielen.

2 Nachsprechen
Lektion 18 | S. 64

☞ Ausspracheschulung der neuen Wörter von Übung 1

CD3/9
• Übung 1: die Wörter hören und in den Pausen genau nachsprechen
• Übung 2: Laute und Wörter hören und genau nachsprechen
VORSCHLAG: Die beiden Übungen in einer der folgenden Unterrichtsstunden noch einmal durchführen.

1 Hören: Was wünschst du dir? (Fortsetzung)
Lektion 18 | S. 64

➲ 1d
• die Fragen einzeln lesen und versuchen, sie zu beantworten

Differenzierung
1. jeweils eine Frage lesen, den Text hören; bei der Stelle mit der Antwort *Stopp!* rufen; dann die Frage beantworten
2. in Partnerarbeit versuchen, die Fragen zu beantworten, dann wie in Differenzierung 1 vorgeschlagen den Text hören usw.
• L / später S: *Was ist Nummer 19?* – S1: *Gitarre. Was ist Nummer 17?* – S2: *Eisenbahn;*
zunächst mit dem Schriftbild der Wörter als Hilfe; dann nur die Bilder ansehen
HINWEIS: bei der Übung nicht den unbestimmten Artikel gebrauchen. Der wird erst in Lektion 19 eingeführt.
fakultativ: „Das 6-Richtige-Spiel" (siehe LHB S. 10, Punkt 5.1) nur mit den Bildern;
Beispiel: L / später S: *Nummer 12.* – S1: *Skateboard*

☞   Wortschatz *Spiel und Spaß* mit bestimmtem Artikel einüben

➲ 3a
fächerübergreifend
- Bildkarten zu den Wörtern von Übung 1 herstellen und farbige Punkte entsprechend den Artikeln machen; wenn möglich im Kunstunterricht

➲ 3b
- mit dem Spiel „Pantomime-Raten" oder über Geräusche die Wörter von Übung 1 aktivieren und wie im Buch dargestellt nach Artikeln geordnet an die Tafel schreiben;
Beispiel: S1 telefoniert pantomimisch mit einem Handy. S2 ruft: *Handy.* – L / S2 schreibt das Wort in die Tabelle; oder das Geräusch eines fahrenden Autos imitieren und raten lassen

Variante mit den Bildkarten: Die Bildkarten liegen umgedreht auf einem Tisch. S1 nimmt eine Bildkarte, z.B. *Auto*; S1 zeigt S2 das Bild und nennt das Wort. S1 fragt: *blau, grün, rot oder gelb?* – S2 sagt: *grün* und schreibt das Wort in die Tabelle.
HINWEIS: Die Abstände zwischen den Wörtern sollten so groß sein, dass man die Wörter mit Bildkarten verdecken kann.
- die Wörter an der Tafel genau lesen und lange anschauen; L muss den S sagen, dass sie sich merken müssen, an welcher Stelle jedes Wort steht
fakultativ: Spiel „1, 2, 3 oder 4?" (siehe LHB S. 14, Punkt 5.8): Mehrere S stehen hintereinander in einer Reihe an der Tafel. L nennt Sätze, z.B. *Wo ist das Fahrrad?* Alle S springen zu der zweiten Spalte von links. Später nennt L nur noch die Nomen ohne Artikel.

Differenzierung
1. S stehen mit Blick zur Tafel
2. S stehen mit dem Rücken zur Tafel

➲ 3c
- die Bildkarten umgedreht über die Wörter hängen (siehe Abbildung im Kursbuch)

➲ 3d
- L demonstriert den Spielablauf an zwei Beispielen, einmal mit *Wo ist ...?*, dann mit *Wo sind ...?*
- das Spiel in zwei Gruppen wie angegeben spielen; die gezeigte Karte zur Kontrolle umdrehen. Wenn die Lösung richtig ist, die Karte wegnehmen; ansonsten die Karte wieder verdeckt über das Wort hängen.

➲ 3e
- L schreibt wie im Kursbuch über die Tabelle A, B, C, D und Nummern von 1 bis ... links vor die Bildkartenreihen und erklärt das Spiel an einem Beispiel
- in zwei Gruppen wie bei Aufgabe d spielen
- in Partnerarbeit mit den eigenen Bildkarten spielen
fakultativ: auch Wortkarten schreiben und Farbpunkte machen; mit den Bild- und Wortkarten an Gruppentischen „Memory®" spielen (siehe LHB S. 12, Punkt 5.7)

AB   Übungen 1 und 2

➲ 4a CD3/10
- „Imitatives Nachsprechen": die Wörter mit *sp* hören und genau nachsprechen
- den TIPP lesen; L demonstriert das bei den Wörtern *Spiel, spielen, Sport, Spaß* und dehnt den *sch*-Laut etwas, bevor er mit dem *-p* das Wort weiterspricht (*schschschport*); S imitieren genau
- die Wörter noch einmal hören und nachsprechen
fakultativ: wenn nötig, die Übung „Fehler erkennen" einsetzen (siehe LHB S. 6, Punkt 2.2.3)

➲ 4b CD3/11
- Aufgabe wie angegeben durchführen

AB   Übung 3

☞   Gegenstände beschreiben; Adjektive einführen und einüben

- die Adjektive über Realien einführen (*Spielsachen, Schulsachen, Kleidung*); L zeigt ein schon etwas älteres und ein neues Handy: *Das Handy ist alt. Aber das Handy ist neu.* Dann mit anderen Gegenständen und den Adjektiven *schmutzig – sauber*; *kaputt – ganz*. Eventuell können S die Sätze hier schon nachsprechen und einüben.

CD3/12	• das Bild anschauen und den Dialog hören • den Dialog noch einmal hören und mitlesen • satzweise hören, mitlesen und nachsprechen
➲ 5a	• die anderen Adjektive lesen; weitere Dialoge machen und in Partnerarbeit vortragen
➲ 5b CD3/13	• die Dialoge zur Kontrolle hören • mit den Wörtern von Übung 1 und den Akjektiven weitere Gegensatzpaare formulieren: *Das Skateboard ist ja total kaputt. Aber das Skateboard ist ganz.* • mit eigenen Schulsachen in Partnerarbeit Gegensatzpaare formulieren; die Gegenstände auf den Tisch legen. S1: *Das Heft ist total neu.* – S2: *Hier, das Heft ist (sehr) alt.* usw. Variante: den Possessivartikel im Nominativ verwenden: *Meine Turnschuhe sind kaputt.* – *Meine Turnschuhe sind ganz.* • einige Dialoge mit den Wörtern von Übung 1 ins Heft schreiben
AB	Übung 4

6 Kleine Geschichten
Lektion 18 | S. 66

☞	Gegenstände beschreiben; Wortschatz *Spiel und Spaß* und Adjektive einüben
➲ 6a	• in Partnerarbeit die Geschichten lesen und vervollständigen; die Bilder helfen dabei
➲ 6b CD3/14	• die vervollständigten Geschichten zur Kontrolle hören • in Partnerarbeit einen der Dialoge einüben und szenisch darstellen
AB	Übung 5

7 Geschichten selbst schreiben
Lektion 18 | S. 66

☞	Wortschatz *Spiel und Spaß* und Adjektive anwenden
CD3/12+13	• die Dialoge von Übung 5 noch einmal lesen oder hören
➲ 7a	• Aufgabe wie angegeben durchführen; eventuell ein Beispiel mündlich in Klassenarbeit machen, dann weitere Beispiele in Partnerarbeit oder allein
➲ 7b Portfolio	• Aufgabe wie angegeben durchführen
AB	Übungen 6 und 7

8 Partnersuchspiel
Lektion 18 | S. 67

☞	Wortschatz *Spiel und Spaß, Schulsachen* und *Tätigkeiten* anwenden
	HINWEIS: Die Übungen 8 und 9 müssen unmittelbar nacheinander durchgeführt werden, da in Übung 9 die Ergebnisse des Partnersuchspiels ausgewertet werden. Erklärung des Partnersuchspiels: siehe auch Kursbuch Lektion 2 Übung 2 und LHB S. 13, Punkt 5.8 • Fragen und Sätze mit den Angaben in Aufgabe a: S1: *Wo ist die Gitarre?* – S2: *Ich möchte Musik machen.* usw
➲ 8a	• wie vorgeschlagen Fragen und Sätze auf verschiedenfarbige Karten schreiben; wenn nötig hilft L. Bei großen Klassen weitere Fragen und Sätze in Klassenarbeit formulieren und auf Karten schreiben; es müssen immer zwei inhaltlich zusammenpassen.
➲ 8b	• wie dargestellt spielen; dabei sehr leise sprechen, beinahe flüstern; wenn sich alle Paare gefunden haben stehen bleiben und sofort mit Übung 9 weitermachen

☞   Verbformen einüben (2. Pers. Pl.)

CD3/15
- die S, die sich mit ihren Karten gefunden haben, stehen nebeneinander in der Klasse
- die Frage und die Antworten von der CD hören
- L schreibt an die Tafel:

ihr							
spielt	*schreibt*	*turnt*	*fahrt Skateboard*	*würfelt*	*zeichnet*	*malt*	*bastelt*

    L spricht dabei deutlich die Endung *-t* und unterstreicht das *-t* bei allen Wörtern; die Verbformen über Vor- und Nachsprechen einüben
- wie auf dem Bild und in den Sprechblasen dargestellt fragen und raten; L kontrolliert die Aussprache und gibt ein Zeichen, wenn die Endung *-t* nicht zu hören ist (mit den Fingern schnipsen; einmal in die Hände klatschen, …); L spricht korrekt vor; S sprechen nach

AB   Übungen 8 und 9

AB   Lesen: die Lesegeschichte *Das Schwarze Brett* (S. 100) lesen und in Klassenarbeit bearbeiten

Lektion 19   Hören – spielen – singen

☞   Gegenstände beschreiben; unbestimmten Artikel im Nominativ einführen und einüben

1   Hören: Was ist das?

☞   unbestimmten Artikel im Nominativ einführen und einüben

Material   Schulsachen und Spielzeug der Kinder

- S legen Schulsachen bzw. Spielzeug auf den Lehrertisch, je S nur ein Exemplar; L verdeckt alle Gegenstände mit einem Tuch
- L ertastet einen Gegenstand: *Aha, ein Flugzeug.* – S1 (der Besitzer): *Das ist mein Flugzeug.* – L: *Ach, das ist dein Flugzeug.* usw. Weitere Beispiele machen; L beginnt eine Tabelle an der Tafel wie in Übung 1, schreibt die genannten Wörter in die Spalten und schreibt *ein – ein – eine* in den Artikelfarben darüber; zusätzlich auch *mein/dein – mein/dein – meine/deine*
- die Tabelle im Buch mit dem unbestimmten Artikel vorlesen, auch den Plural; die Tabelle an der Tafel mit den Wörtern von Übung 1 ergänzen

CD3/16
- damit die S wissen, wie die Übung geht, zwei Geräusche und die Antwort hören
- jedes Geräusch einzeln hören, dabei auf die Tabelle an der Tafel oder im Buch schauen und den Gegenstand nennen. Alle S: *Ein Ball.* – Dann Kontrollhören und wiederholen

2   Spiel: Fühl mal!

☞   unbestimmten Artikel im Nominativ einüben

Material   ein kleines Stoffsäckchen oder eine undurchsichtige Plastiktüte

Vorschlag: L füllt drei Farbschachteln (*blau*, *grün* und *rot*, siehe Lektion 12 Übungen 7 und 8) mit *Schulsachen* und *Spielsachen*
- L und HP: HP hat das Stoffsäckchen, legt es in die blaue Farbschachtel und steckt einen Gegenstand in das Säckchen. HP: *Was ist das? Fühl mal!* – L fühlt lange und intensiv die Form des Gegenstandes durch das Säckchen, um die Bedeutung von *fühlen* klarzumachen L: *Ein Bleistift.* – HP: *Richtig* und nimmt den Bleistift aus dem Säckchen. Noch zwei weitere Beispiele vormachen; S kann eventuell schon L ersetzen

CD3/17
- die Bilder anschauen und den Dialog hören
- noch einmal hören, mitlesen und halblaut mitsprechen
- das Spiel wie auf den Bildern gezeigt spielen

Differenzierung	1. Tabelle an der Tafel oder im Buch als visuelle Hilfe 2. ohne visuelle Hilfe Vorschlag: die beiden Stufen der Differenzierung als Lernschritte einsetzen Vorschlag zur Intensivierung des Spiels, wenn der Artikel schon sehr sicher verwendet wird: Mehrere S gehen mit Säckchen durch die Klasse und führen die Übung mit einzelnen S durch. Variante für die Arbeit in Kleingruppen: jeweils zwei Tische wie im Buch abgebildet zusammenstellen; viele Gegenstände auf den Tisch legen und ein Tuch darüber legen; 4–8 S sitzen um die Tische herum; S1 schiebt die Hand unter das Tuch, ertastet einen Gegenstand, benennt ihn (*Das ist ein/eine …*) und zieht den Gegenstand hervor. Hat der S sich geirrt, muss er den Gegenstand wieder unter das Tuch schieben.
AB	Übungen 1 und 2

3 Spiel: Zeichnen und Raten

Lektion 19 | S. 68

☞	unbestimmten Artikel im Nominativ einüben
CD3/18	• den Dialog hören und dabei die Bilder ansehen; L klärt vor dem Spielen ab, ob alle S den Spielverlauf verstanden haben
AB	Übung 3

4 Clowns

Lektion 19 | S. 69

☞	Gegenstände beschreiben; Adjektive einführen und einüben
	• L zeigt eine sehr kleine Schere; HP fragt erstaunt: *Was ist das denn?* – L: *Eine Schere.* – HP: *Was? So klein?* S sprechen im Chor nach: *Was? So klein?*
CD3/19	• das erste Clown-Bild anschauen und den Dialog hören • hören und mitlesen; wiederholen: *Was? So dick?* • hören, mitlesen und halblaut mitsprechen
➲ 4a	• die weiteren Adjektive im Satz (*Was? So lang?*) einführen; S lesen die Wörter mit, suchen den Gegenstand auf dem Bild und sprechen nach Vorschlag: eventuell die Aufgabe 6 *Klopfspiel* als Aufgabe zum Hörverstehen hier schon einsetzen - wie vorgeschlagen weitere Dialoge mit den angegebenen Wörtern machen und vorlesen
CD3/20	• die Dialoge zur Kontrolle hören • die Dialoge mit entsprechenden Gegenständen szenisch darstellen
AB	Übung 4

5 Lied: Lang oder kurz

Lektion 19 | S. 69

☞	Adjektive und unbestimmten Artikel im Nominativ einüben
CD3/21	• das Lied hören • die Bilder anschauen, das Lied noch einmal hören und mitzeigen • das Lied hören und versuchen mitzusingen
CD3/22	• die beiden Strophen einüben und zur Playback-Fassung singen • Tabelle mit den Adjektiv-Paaren an die Tafel schreiben • die Fragen einzeln vorlesen und in Klassenarbeit beantworten; Beispiel: S1: *Wie ist ein Teddybär?* – S2: *Dick oder dünn.* – S3: *Oder alt oder neu.* – S4: *Oder sauber oder schmutzig.* • dieselbe Übung auch in Partnerarbeit durchführen • einige Beispiele für weitere Strophen auf Vorschlag der S an die Tafel schreiben; das Wort *klein* sollte immer wegen des Reims in der dritten Zeile am Ende stehen

Beispiel für die Tafelanschrift:

Rock – lang – kurz	Pinsel – ganz – kaputt	Handschuhe – dick – dünn
Hose – dick – dünn	Buch – dünn – dick	Jeans – alt – neu
Spitzer – groß – klein	Pulli – groß – klein	Stiefel – groß – klein

CD3/22	• die weiteren Strophen zur Playback-Fassung singen fakultativ: in Kleingruppen je eine neue Strophe vorbereiten und der Klasse zur Playback-Fassung vorsingen
AB	Übung 5

6 Klopfspiel
Lektion 19 | S. 70

☞ unbestimmten Artikel im Nominativ einüben

• S schauen die Bilder an und versuchen, die Spielregel zu verstehen
• L gibt die Sätze vor, S reagieren entsprechend. Es ist für den Spielverlauf günstig, mehrfach schnell hintereinander richtige Aussagen zu machen und dann plötzlich eine falsche Aussage. Langsam anfangen mit längeren Pausen; dann die Pausen immer mehr verkürzen

7 Buchstabenspiel
Lektion 19 | S. 70

☞ Schriftbild der Adjektive bewusst machen

• Wortkärtchen in Gruppen vorbereiten, in Einzelbuchstaben zerschneiden und auf mehrere Gruppentische legen
• L nennt ein Wort, und jede Gruppe hat die Aufgabe, das Wort so schnell wie möglich mit den Buchstabenkärtchen zu legen. Die siegreiche Gruppe bekommt jeweils zwei Punkte, die zweitschnellste einen Punkt.
HINWEIS: Dieses Spiel kann beliebig mit anderen Wörtern aus bekannten Wortfeldern (*Schulsachen, Spiel und Spaß, Kleidung* …) durchgeführt werden. Dabei auf Großschreibung achten.

8 Gleich oder nicht gleich?
Lektion 19 | S. 70

☞ unbestimmten Artikel im Nominativ anwenden; einige bekannte Pluralformen wiederholen

• in Partnerarbeit wie angegeben die Anzahl der Gegenstände auf den Bildern nennen und die Bilder miteinander vergleichen
• auch so sprechen: *In Bild 1 ist ein Bleistift, aber in Bild 2 sind …*

AB	Übung 6

Lektion 20 Was machst du gern?

☞ Wortschatz *Spiel und Spaß* und *Tätigkeiten* wiederholen; Verbform 3. Pers. Pl. einführen; andere Verbformen wiederholen; W-Fragen wiederholen

1 Lesen
Lektion 20 | S. 71

☞ Leseverstehen; Verbform 3. Pers. Pl. einführen und einüben

* das Bild anschauen und eventuell darüber sprechen, was einige Spielsachen machen (*Das Fahrrad spielt Tischtennis.* – …)
* den Text still lesen, dabei immer wieder auf dem Bild nachsehen, was passiert
Variante: S decken den Text zu und schauen nur das Bild an. L liest den Text vor und unterbricht dabei manchmal, damit S die Handlung auf dem Bild suchen können.

➲ 1a
* den Text in Partnerarbeit still lesen; ein Partner nennt laut jedes Spielzeug; der andere führt eine Strichliste auf einem Zettel; die Ergebnisse in der Klasse vergleichen
* Fragen und Antworten: L: *Was macht der Teddybär?* – S suchen den Satz im Text und lesen ihn vor. L stellt weitere Fragen. (*Wer malt?* – *Was machen das Fahrrad und das Schiff?* – …)

➲ 1b
* die Aussagen lesen und über *richtig* oder *falsch* entscheiden

Differenzierung
1. zuerst die zwölf Aussagen lesen und in Partnerarbeit über *richtig* oder *falsch* entscheiden; dann den Text zur Kontrolle lesen
2. eine Aussage lesen; dann die Textstelle suchen und über *richtig* oder *falsch* entscheiden

AB
Übung 1
* in Klassenarbeit durchführen, um die bereits bekannten Personalpronomen zu wiederholen und die 3. Person Plural (*sie*) einzuführen
* die Sätze vorlesen und einige der Sätze (Singular und Plural) an die Tafel schreiben

Tafelanschrift:

Planetino spielt.	*Die Jungen spielen auch.*
Pia liest.	*Eva und Lea lesen auch.*
Die Kinder malen.	*Lisa malt nicht.*

* an der Tafel die Namen/Nomen wegwischen und durch *er/sie/sie* (Plural) ersetzen; dann auch die Verben zum Teil wegwischen; nur die Endungen (*t* und *en*) stehen lassen. Aus der Geschichte mit den Spielsachen einen Satz ergänzen, um das Personalpronomen *es* zu wiederholen (*Das Fahrrad spielt Tischtennis.* – *Es spielt* …).
* L liest einige Sätze aus dem Lesetext langsam vor und unterbricht jedes Mal, wenn eine Handlung der Spielsachen genannt wird. S ersetzen die Nomen durch das entsprechende Personalpronomen. Beispiel: L: *Die Spielsachen machen heute Quatsch.* – S: *Sie machen heute Quatsch.* – L: *Das Flugzeug spielt Gitarre.* – S: *Es spielt Gitarre.*
VORSCHLAG: Zur Vorbereitung auf die folgende Übung nur mit wenigen Sätzen üben, um nicht zu viel vorwegzunehmen.

➲ 1c CD3/23
* die Fragen einzeln hören; die Antwort in den Sätzen zu Aufgabe b suchen; aber nicht vorlesen; die Antwort zur Kontrolle hören und nachsprechen
* die Fragen noch einmal hören und die Antwort sprechen; dabei das passende Personalpronomen verwenden; dann Kontrollhören
* Übung zur Steigerung der Lesefertigkeit:
- HP liest Quatsch. HP liest den Text vor, S lesen still mit. HP macht hin und wieder einen Fehler. S protestieren und lesen den Satz richtig vor. Beispiel: HP liest: *Was ist denn hier los? Die Spielsachen machen heute Spaß. Die …* – S protestieren; ein S liest oder spricht den Satz richtig vor.
- weitere Übungen: siehe LHB S. 8, Punkt 2.3.3

➲ 1d Portfolio
* Übung wie vorgeschlagen, eventuell in Partnerarbeit

☞	Verbformen 3. Pers. Sing. und Pl. einüben
CD3/24	• die Bilder anschauen und die beiden Spielszenen hören • hören und mitlesen • noch einmal hören, mitlesen und halblaut mitsprechen • andere Spielszenen spielen; S bzw. beide S sollten die Tätigkeit für die Klasse unsichtbar hinter der Klapptafel oder einem großen Tuch durchführen
AB	Übungen 2 und 3

3 *E-Mail*

☞	Leseverstehen; Personalformen der Verben einüben (*ich, du, er, sie, sie* (Plural))
	• die E-Mail still lesen
➲ 3a	• in Klassen- oder Partnerarbeit Fragen zum Inhalt stellen und beantworten
➲ 3b	• die Mail beantworten; über *Familie, Freunde, Hobbys, Schule* schreiben
AB	Übungen 4, 5 und 6

4 *Interview-Spiel*

☞	Verbformen anwenden
	Erklärung des Spiels: siehe auch LHB S. 13, Punkt 5.8
➲ 4a	• Aufgabe wie angegeben durchführen; die Tafelanschrift bleibt während des Spiels sichtbar
➲ 4b	• das Spiel vorbereiten und durchführen: • S lesen die Spielbeschreibung und schauen die Bilder an. Wenn nötig, erklärt L den Spielverlauf in der Muttersprache. • um sicherzustellen, dass alle den Spielverlauf verstanden haben, das Spiel einmal in Kurzform mit einigen S durchführen. Wichtig: Die Ergebnisse nur in Kurzform auf die Zettel schreiben. Beispiel: *Jana schläft.* = *Jana 10.* Wer als Erster sechsmal „Ja" hat, ruft *Stopp!* Nicht vergessen, dass die S dann ihre Ergebnisse vorlesen. Die Wörter und Zahlen an der Tafel helfen dabei. • die Ergebnisse des Spiels mitteilen (siehe das Bild in der Mitte): Jeder S liest von seinem Blatt einige Ergebnisse vor, dabei die Kurznotiz in eine vollständige Aussage umwandeln (*Jana 10 = Jana schläft*); Jana bestätigt mit *Richtig!*
➲ 4c	• S lesen die Erklärung des Ratespiels und schauen das Bild an; L erklärt, wenn nötig, in der Muttersprache • das Ratespiel durchführen
AB	*Weißt du das noch?* (S. 89) in Klassenarbeit bearbeiten HINWEIS: Der bestimmte Artikel im Nominativ wurde mit dem Wortschatz *Kleidung* in Lektion 16 Übung 3 eingeführt. Die Artikel wurden anschließend bereits in die entsprechende Wortliste eingetragen. Für das Würfelspiel in Lektion 16 Übung 6 müssen die S auch die bestimmten Artikel zu *Familie* und *Schulsachen* kennen. In vorbereitenden Übungen (siehe Vorschläge zu Lektion 16 Übung 6 im LHB) wurde der Wortschatz wiederholt, die Artikel wurden zugeordnet und ebenfalls in die entsprechenden Wortlisten eingetragen.

Übung 1: Wohin gehören die Wörter?

➲ 1a
- in Partnerarbeit die Wörter in die richtige Spalte schreiben; in den Wortlisten und bei den Wörtern *Stuhl*, *Schrank*, *Waschbecken*, *Tafel* auf der Seite *Das kann ich schon* zu den Lektionen 9–12 nachsehen. (Kursbuch S. 46)

➲ 1b AB/Wortliste
- soweit noch nicht geschehen die Wörter in den Wortlisten auf den angegebenen Seiten eintragen
  VORSCHLAG: mithilfe der Seite *Das kann ich schon* zu den Lektionen 9–12 auch die fehlenden Artikel zum Wortschatz *Gegenstände im Klassenzimmer* in die Wortliste zu Lektion 9 (S. 56) eintragen

Übung 2: Eins und viele

➲ 2a
- die Wörter zu den Bildern in die entsprechende Spalte schreiben
- Kontrolle: L/S: *Was ist A7?* – S: *Ein Spitzer.* – *Was ist B3?* – …

➲ 2b
- in Klassenarbeit die Pluralformen nennen; dazu die Tabelle mit der „Regel" für die Bildung einiger Pluralformen benutzen

Tafelanschrift: alle Wörter in Tabellenform anschreiben

	Singular	Plural		Singular	Plural
+ e	Farbstift	Farbstifte	+ n	Hose	Hosen
	Bleistift	Bleistifte		Jacke	Jacken
	…				

- eventuell die Plural-Endungen farbig markieren
- jeder S sagt, von welchen Sachen er viele hat: *Ich habe viele Mützen.* – *Ich habe 12 Autos.* usw.
- zu dem Lied *Lang oder kurz?* (Kursbuch, Lektion 19 Übung 5) mit den neuen Pluralformen und Adjektiven Liedstrophen machen, aber nur mit Wörtern im Plural

CD3/22
- diese Strophen zur Playback-Fassung des Liedes singen

➲ 2c AB/Wortliste
- soweit noch nicht geschehen, in den Wortlisten auf den angegebenen Seiten die Pluralformen ergänzen

AB/Portfolio
- *Das habe ich gelernt* (S. 91/92) wie im AB auf S. 6 vorgeschlagen für das Portfolio bearbeiten; wenn nötig, bei *Das kann ich schon* (Kursbuch S. 74) nachschauen
- den *Grammatik-Comic* (S. 93) für das Portfolio bearbeiten; wenn nötig, bei *Das kann ich schon* (Kursbuch S. 74) nachschauen

AB/Wortliste
Arbeit mit der Wortliste zu den Lektionen 17–20 (S. 90)
- Eintrag von Artikeln in die Wortliste:
  in der Wortliste zu Lektion 18 die Wörter zum Wortschatz *Spiel und Spaß* mit den Artikelfarben markieren und den jeweiligen Artikel dazuschreiben
  HINWEIS zu allen Wortlisten: Es wurden im Laufe der Arbeit mit Kursbuch 1 längst nicht zu allen Nomen die Artikel in die Wortlisten eingetragen. Es bleibt dem L überlassen, die Listen zu vervollständigen.
- Übungen mit der Wortliste:
  Übung 1: die Wörter zu *Spiel und Spaß*, zu den *Tätigkeiten* und die *Adjektive* jeweils untereinander an die Tafel schreiben; weiterhin Sätze zu den Sprechhandlungen (siehe *Das kann ich schon*), eventuell auch aus früheren Themenkreisen

Tafelanschrift:

Ball	fliegen	groß	Ich kann nicht …	Na also!	Ja klar.
Flugzeug	Musik hören	kaputt	Mein/Meine … ist weg/kaputt/ …		
Gitarre	…	…	So ein Mist!	Ach, da ist …. ja!	
…			Meine … sind ….	Das gibt´s doch nicht!	
			Ach, da sind … ja!		
			Was ist denn los?	Was ist das denn?	

- in Klassenarbeit Aussagen und Dialoge machen; Beispiele:
1. S: *Mein CD-Player ist kaputt. Ich kann nicht Musik hören.*
2. S1: *So ein Mist! –* S2: *Was ist denn los? –* S1: *Das Flugzeug fliegt nicht. –* S2: *Das gibt's doch nicht.*
3. S1: *Was ist das denn? –* S2: *Ein Drachen. –* S1: *Der ist aber schön!*
- ebenso in Kleingruppen oder in Partnerarbeit
- als Schreibspiel mit einem Partner: Jeder S hat ein Blatt, schreibt den Anfang eines Dialogs darauf und gibt das Blatt an den Partner weiter. Jeder der beiden schreibt eine Reaktion auf den ersten Satz und gibt das Blatt wieder zurück; dann schreibt jeder den Dialog weiter usw. Am Schluss der Klasse den Dialog vorlesen.

Übung 2: Wiederholung von Wortschatz aus vielen Lektionen:
Vorschlag zum Wiederholen von Wortschatz aus mehreren Wortlisten mit dem Spiel „Ein Spiel für alle Fälle" (Kursbuch S. 100): siehe LHB S. 14, Punkt 5.9

Material — die bereits hergestellten Bildkarten zu *Schulsachen*, *Kleidung* und *Spielsachen* in ausreichender Zahl für mehrere Kleingruppen

- in übersichtlichen Gruppen an die Tafel schreiben:
die *Farben* von   Lektion 9 Übung 7
die *Adjektive* von   Lektion 13 Übung 7
    Lektion 18 Übung 5
    Lektion 19 Übung 5
- die Bildkarten mischen und umgedreht auf einen Stapel legen
- wie gewohnt in Kleingruppen spielen; wenn ein S auf ein farbiges Feld kommt, nimmt er eine Bildkarte vom Stapel, z.B. *Pulli*. Nun muss er eine Aussage mit dem Wort *Pulli* und den Wörtern an der Tafel machen.
Das können Aussagen sein wie:
Ein Pulli ist weiß oder blau.
Mein Pulli ist grün/alt/ganz toll/…
Der Pulli ist nicht so toll.
Pullis sind super/ …
oder Quatsch-Sätze wie:
Der Pulli ist lang und dünn.
Ich finde den Pulli gar nicht schön. Er ist toll.
Die Aufgabe ist gelöst, wenn die Aussage grammatikalisch richtig ist.

Der König und das Gespenst

VORBEMERKUNG: In der Vorentlastung (Teil A) zum Theaterstück werden neue Wörter und Sprachmuster eingeführt, die zum verbindlichen Lernwortschatz gehören. Diese werden allerdings in PLANETINO 2 noch einmal aufgegriffen und wiederholt. Das Theaterstück sollte, wenn möglich, einstudiert und aufgeführt werden, da solche Aufführungen für die Kinder besonders motivierend sind. Sie steigern das Selbstwertgefühl und die Freude am Erlernen einer Fremdsprache. Falls das Theaterstück nicht aufgeführt werden kann, sollten die S unbedingt den vorbereitenden Lesetext (Teil B) bearbeiten, da solch ein komplexerer und längerer Text eine gute Möglichkeit zum Lesetraining bietet.

A Die Personen

Theater | S.75

Sprechhandlung	Tagesablauf beschreiben
Wortschatz	Wochentage; Uhrzeit

1 Lied: Wir stellen uns vor

Theater | S. 75

- S schauen die erste Seite der Theaterlektion an. L erklärt in der Muttersprache, dass sie jetzt ein Theaterstück kennenlernen, das sie später gemeinsam spielen können.
- L nennt den Titel und schreibt ihn an die Tafel:
  Tafelanschrift: *Der König und das Gespenst*
- L stellt König und Gespenst pantomimisch dar; S suchen die beiden Figuren auf den Bildern

⊃ 1a CD3/25
- den Text zudecken; die Bilder anschauen und das Lied hören
- das Lied noch einmal hören; L zeigt dabei auf das Schloss und die Personen
- L fragt: *Wer spielt mit?* – L nennt die Personen nacheinander: *der König …* – S sprechen im Chor nach und zeigen auf das Bild. L schreibt die Personen nach und nach in eine Artikeltabelle an die Tafel. Hinter jedem Wort lässt er Platz für die spätere Ergänzung des Namens.

  Tafelanschrift:

König	Gespenst	Königin
Prinz		Prinzessin
Minister		
Diener		

⊃ 1b
- das Lied hören und den Text still mitlesen
- den Text des Liedes kopieren (schwarz-weiß); jeder S bekommt die kopierte Seite mit der Aufgabe, den Text zu lesen und alles zu unterstreichen, was er versteht
- Übungen zum Leseverstehen:
  - Übung „*Wer sagt das?*" L liest eine personenbezogene Aussage vor, S nennen die Person. Beispiel: L: *Der König hört auf meinen Rat. Wer sagt das?* – S suchen die Aussage im Text und schauen vor der Antwort auf die Artikeltabelle an der Tafel: S: *Der Minister*.
  - Übung: „*Wie heißen die Personen?*" – S suchen die Informationen im Text, lesen die Sätze vor und sprechen z.B. *Der König heißt Adalbert*. L schreibt den Namen in die Tabelle an der Tafel. (*König Adalbert*)
- weitere Übungen zum Leseverstehen: siehe LHB S. 7, Punkt 2.3.2
- den aktiven Wortschatz einüben (siehe *Wortliste* S. 97) mithilfe des „Tamburin-Spiels" (siehe LHB S. 10, Punkt 5.1); Beispiel: L: *Das Schloss ist …* S suchen den Satz, lesen ihn vor oder sprechen ihn frei: *Das Schloss ist wunderbar*. – L: *Viele … wohnen da*. – usw.
  VORSCHLAG zum Lernen des Liedes: Wegen der Länge des Liedes sollte man das Erlernen auf mehrere Unterrichtsstunden verteilen, zum Beispiel Strophe 1 und 2 – Strophe 3 und 4 – Strophe 5 bis 7. Vor jedem Strophenblock sollte über „Imitatives Nachsprechen" die Aussprache gefestigt werden. Weitere Vorschläge für die Arbeit mit Liedern: siehe LHB S. 9, Punkt 4.1

CD3/25	• die 1. Strophe hören und zunächst mitsummen, dann mitsingen • ebenso die 2. Strophe
➲ 1c CD3/26	• die Strophen 1 und 2 zur Playback-Fassung singen • wie vorgeschlagen in den folgenden Unterrichtsstunden die weiteren Strophen lernen, dabei natürlich immer die bereits bekannten Strophen wiederholen

2 Prinz Bernhard und Prinzessin Ann
Theater | S. 76

☞	*Wochentage* einführen und einüben
	VORSCHLAG: Das Lied „*Wir stellen uns vor*" regelmäßig üben und zur Playback-Fassung singen
	• die *Wochentage* einführen: - L nennt den aktuellen Wochentag und zeigt dabei auf einen Kalender (z.B. *Heute ist Mittwoch.*) - L nennt die *Wochentage* und zeigt auf dem Kalender mit; S sprechen noch nicht nach
➲ 2a CD3/27	• die Bildfolge anschauen; den Dialog still lesen und die in den Sprechblasen dargestellten Tätigkeiten ergänzen und aufschreiben (*tanzen, Gitarre spielen ...*) • den Dialog hören und mit den eigenen Ergänzungen vergleichen
➲ 2b CD3/28	• die *Wochentage* hören und genau nachsprechen • „Klatschübung zur Betonung" (siehe LHB S. 6, Punkt 2.2.2); die *Wochentage* noch einmal hören und den Wortakzent mitklatschen; Beispiel: b-u-u = *Donnerstag* fakultativ: „Sitzboogie" mit *Wochentagen* (siehe Lektion 7 Übung 4); jedem Wochentag zweimal die gleiche Bewegung zuordnen
➲ 2c CD3/29	• L zeigt an zwei Beispielen, wie die Übung geht: L: *Wann tanzen Prinz Bernhard und Prinzessin Ann?* – HP: *Am Dienstag.* – S wiederholen. L: *Wann spielen sie Tennis?* – S: *Am Freitag.* • die Übung mit der CD durchführen; dabei die Bildfolge anschauen
➲ 2d	• die *Wochentage* wie abgebildet an die Tafel schreiben • den Text lesen und den Wochenplan ergänzen
➲ 2e/Portfolio	• einen eigenen Wochenplan für das Portfolio schreiben; dieser eigene Wochenplan kann auch mit Fotos und Zeichnungen dekoriert werden
➲ 2f	• in Partnerarbeit über den eigenen Wochenplan sprechen (Frage und Antwort)
AB	Übung 1

3 Wie spät ist es?
Theater | S. 77

☞	*Uhrzeit* einführen und einüben
Material	Demonstrationsuhr (große Uhr, echte oder gebastelte mit beweglichen Zeigern zum Vorführen)
	• L und HP führen die *Uhrzeit* (nur ganze Stunden) an der Uhr ein • Beispiel: L stellt die Zeiger auf drei Uhr und fragt: *Wie spät ist es?* – HP: *Es ist drei Uhr. Es ist drei.* Weitere Beispiele vorführen. • wie vorher, aber S sprechen im Chor nach: *Es ist ein Uhr. Es ist eins.* • mehrmals vor- und nachsprechen, dann an die Tafel schreiben; das s bei *Es ist ein<u>s</u>.* markieren • Übung „Fehler erkennen" (siehe LHB S. 6, Punkt 2.2.3) zu *Es ist ein Uhr.* durchführen: *Es ist ein Uhr. – Es ist ein Uhr. – Es ist ein<u>s</u> Uhr. – Es ist ein Uhr. – Es ist ein Uhr.*
➲ 3a CD3/30	• die Glockenschläge mitzählen und die *Uhrzeit* nennen (*Es ist drei Uhr. Es ist drei.*)
➲ 3b	• Aufgabe wie angegeben in Partnerarbeit durchführen • „Das 6-Richtige-Spiel" (siehe LHB S. 10, Punkt 5.1): Ein S steht mit der Demonstrationsuhr vor der Klasse. L / später S nennt eine *Uhrzeit*; S muss die Zeit an der Uhr einstellen • Ratespiel: S1 steht mit der Demonstrationsuhr vor der Klasse und stellt, für die anderen nicht sichtbar, eine Uhrzeit ein. S1: *Wie spät ist es?* – S2: *Es ist sieben Uhr.* – S1: *Nein, falsch.* – S3: *Es ist fünf Uhr.* – S1: ...
AB	Übung 2

4 Was macht König Adalbert?

☞   Hörverstehen; *Tagesablauf* beschreiben

	• die Bilder im Buch anschauen; S stellen aufgrund der dargestellten Inhalte und der angegebenen Uhrzeiten Vermutungen über die Reihenfolge der Bilder an
CD3/31	• den ganzen Text hören; jeder S versucht für sich, den *Tagesablauf* des Königs auf den Bildern zu verfolgen • in Partnerarbeit die Reihenfolge der Bilder mithilfe der *Uhrzeiten* festlegen
➲ 4b	• den Text in Abschnitten hören und die Reihenfolge der Bilder kontrollieren (Lösung: HAUSAUFGABEN) • den Text noch einmal ohne Unterbrechung hören und auf den Bildern mitzeigen; weitere Vorschläge für die Einführung des Hörtextes: Variante 1: eine Schwarz-Weiß-Kopie der Bilder für jeweils zwei S herstellen und die Bilder ausschneiden; jeweils zwei S bekommen einen Satz Bilder; die Geschichte mehrmals hören und in Partnerarbeit die Bilder in die richtige Reihenfolge legen Variante 2: eine Farbfolie herstellen und projizieren; mehrmals den Text hören; L / später S zeigt auf der Folie mit; den Text noch einmal hören; dabei in Partnerarbeit die Reihenfolge der Bilder im Buch verfolgen und die Lösung aufschreiben fakultativ: „Platzwechselspiel" (siehe LHB S. 13, Punkt 5.8): Vorschlag für die Wortauswahl: alle Tätigkeiten unter den Bildern; bei größeren Klassen außerdem einige *Uhrzeit*-Angaben (*um 10 / um 10 Uhr*)
➲ 4c CD3/32	• Da die S bis jetzt die Tätigkeiten noch nicht gesprochen haben, sollten die Antworten von der CD zunächst einmal gehört und nachgesprochen werden. Beispiel: CD: *Was macht der König um 10 Uhr?* – Pause – S zeigen auf den Text unter dem passenden Bild – CD: *Aufstehen* – Pause, damit S genug Zeit zum Nachsprechen haben. – S sprechen laut: *Aufstehen* usw. • jetzt die Übung mit der CD durchführen; S beantworten diesmal die Frage selbst; dann Kontrollhören
➲ 4d	• L macht mit der Klasse einige Beispiele • wie angegeben in Partnerarbeit

Differenzierung	1. den *Tagesablauf* mit *Uhrzeiten* an die Tafel schreiben
	Beispiel: 10 Uhr aufstehen
	               11 Uhr frühstücken
	            …
	S können bei der Frage-Antwort-Übung wenn nötig zur Tafel schauen
	2. ohne visuelle Hilfe

AB	Übung 3
➲ 4e	• persönlicher Bezug; wie angegeben in Partnerarbeit Fragen stellen und antworten Variante: Mehrere S gehen gleichzeitig durch die Klasse und fragen die anderen S
➲ 4f	• Aufgabe wie angegeben durchführen; alle neuen Wörter unter den Bildern verwenden

B Die Geschichte

1 Lesen: Der König und das Gespenst

HINWEIS: Dieser recht lange Text soll und kann von den Schülern nicht in allen Einzelheiten verstanden werden. Es geht vielmehr darum, dass die Schüler mithilfe von Schlüsselwörtern und Bildern den Ablauf der Handlung verstehen (Globalverstehen). Das ist für Schüler auf dieser Lernstufe eine wichtige Übung und eine enorme Leistung.

➲ 1a	• die Bilder anschauen und die Personen und Sachen benennen • L fragt: *Wie spät ist es auf Bild M?* usw. • L liest den 1. Abschnitt vor und betont dabei besonders die Stellen, die auf das passende Bild hinweisen (die *Uhrzeiten* und *Huhu*, *Hehe*). S nennen das passende Bild.

- ebenso mit dem 2. Abschnitt
- die Klasse in Gruppen aufteilen; jede Gruppe bekommt einen der weiteren Abschnitte zugeteilt mit der Aufgabe, ihn zu lesen und das passende Bild zu finden; eventuell jeder Gruppe zwei Texte geben: allen den kurzen Text 4 und dazu einen der längeren Texte
- in der Klasse die Zuordnung der Texte und Bilder besprechen
  (Lösung: MANTEL)
- die Seite mit der Lesegeschichte für jeden S kopieren; jeder S liest die ganze Geschichte still und unterstreicht alles, was er versteht
- in Klassen- oder Partnerarbeit jedem Textabschnitt und Bild eine Überschrift geben; dafür Wörter/Sätze aus den Texten nehmen; die Überschriften an die Tafel schreiben
  Vorschlag:
  1 Was ist das?
  2 Der Minister hat eine Idee.
  3 Die Geisterstunde ist weg.
  4 Wisu nimmt die Sachen mit.
  5 Wo sind die Sachen?
  6 Der König und das Gespenst sind jetzt Freunde.

➲ 1b	• in Partner- oder Gruppenarbeit den Ablauf einer Szene pantomimisch einüben und vorspielen; die Klasse muss raten, welcher Teil der Geschichte präsentiert wird
AB	Übung 5: L muss mit allen S die Durchführung der Übung besprechen; VORSCHLAG: Die 1. Frage und die unvollständige Antwort an die Tafel schreiben

Tafelanschrift:

> *Wie spät <u>ist es</u>? - _____ _____ zwölf Uhr in der Nacht.*

Eventuell merken die S selbst, dass die Wörter für die Lücken in der Frage „versteckt" sind. S sollen danach die beiden Wörter an der Tafel unterstreichen und den Lückensatz vervollständigen; die Erkenntnis an einem weiteren Beispiel überprüfen

2 Lied: Die Uhr schlägt zwölf
Theater | S. 79

CD3/33	• das Lied hören • noch einmal hören und mitlesen; dann die beiden Strophen einüben (siehe auch LHB S. 9, Punkt 4)
CD 3/34	• die beiden Strophen zur Playback-Fassung singen

C Die Szenen
Theater | S. 80/81

HINWEIS 1: Die Texte enthalten kaum unbekannten Wortschatz und können daher von den S ohne große Mühe gelesen werden. Da die S aber gerade den langen Text auf Seite 78 gelesen haben, sollte man vielleicht nicht schon wieder mit dem Lesen beginnen. Es ist für die S viel motivierender, jetzt von der CD die ganze Geschichte zu hören.
HINWEIS 2: Nach jeder Szene ist auf der CD die Playback-Fassung des Liedes „Die Uhr schlägt zwölf" zu hören. Nach Szene 1–5 soll jeweils die erste Strophe, nach der letzten Szene dann die zweite Strophe des Liedes gesungen werden. Die sechs Teilszenen und die sechs Liedstrophen sind auf drei CD-Tracks verteilt, damit man einzelne Dialogteile schneller finden und ansteuern kann.

CD3/35-37	• die Szenen bei geschlossenem Buch hören und die Liedstrophen mitsingen • noch einmal hören; die Szenen im Buch suchen und mitlesen HINWEIS: Das Einüben der Texte ist abhängig davon, welche Schüler die Teile spielen sollen und wie. Je nach Leistungsfähigkeit der Klasse wären die folgenden VARIANTEN für die Aufführung als Theaterstück möglich: 1. Jede Rolle wird doppelt besetzt. Ein S liest jeweils den Text vor, ein anderer agiert pantomimisch dazu.

2. Schwierige, lange Rollen werden mehrfach besetzt, sodass z.B. der König in Szene 1 von S1, in Szene 2 von S2 gespielt wird usw. Dabei können entweder die verschiedenen Schauspieler von Anfang an eingekleidet sein (das geht, wenn die Kostümierung nicht aufwendig ist, z.B. eine rote Decke als Umhang, die Krone kann man leicht weitergeben, oder die verschiedenen Darsteller wechseln das Kostüm beim Szenenwechsel, also beim Kulissenumbau.
3. Gute S übernehmen schwierige Rollen.
4. Alle S, die keine Rolle übernehmen, singen die Lieder.

VORSCHLÄGE zum Lernen der Texte: Die Übungen sollten auf mehrere Stunden verteilt werden, können auch während der Herstellung von Kostümen und Kulissen immer wieder eingeschoben werden.

HINWEIS: Die Szenen und Liedstrophen sind folgendermaßen auf die drei CD-Tracks verteilt:
CD3/35: Szene M – Lied – Szene O – Lied
CD3/36: Szene N – Lied – Szene T – Lied – Szene A – Lied
CD3/37: Szene G – Lied (2. Strophe)

Übungen mit der CD:
• die längeren Szenen satzweise hören und nachsprechen
• einzelne Abschnitte hören und mitlesen, dann plötzlich unterbrechen; S lesen den nächsten Satz; dann die CD weiterlaufen lassen
• einzelne Abschnitte hören, mitlesen und leise mitsprechen

• weitere VORSCHLÄGE zur Steigerung der Lesefertigkeit: siehe LHB S. 8, Punkt 2.3.3
HINWEIS: Wenn die Übungen mit der CD und verschiedene Übungen zur Steigerung der Lesefertigkeit oft durchgeführt werden, lernen die S nebenbei die Texte auswendig. Dennoch sollten die S während der Proben für die Aufführung in der ersten Zeit immer das geöffnete Buch in der Hand haben dürfen oder noch besser ein kleines Blatt mit der Kopie ihres Textabschnitts.

D Die Kostüme / E Die Kulissen
Theater | S. 82/83

Die S können die Arbeitsanweisungen zu den Kostümen und Kulissen mithilfe der Bilder schrittweise nachvollziehen. Es ist nicht notwendig, dass sie die Arbeitsanweisungen lesen. Im Gegenteil: Es sollte vermieden werden, dieses spezielle Vokabular zu vermitteln. Die Arbeitsanweisungen sollen eine Hilfe für den L sein, der, wenn es nötig ist, Erklärungen in der Muttersprache gibt.
Während der Herstellung der Kostüme und Kulissen ist es sinnvoll, einzelne Szenen zu hören und leise mitzusprechen sowie die Lieder zu hören und mitzusingen. So werden die Texte und Lieder „ganz nebenbei" gelernt.

F Die Theateraufführung
Theater | S. 84

Die Vorschläge für die Theateraufführung müssen die S auf keinen Fall selbst lesen. Sie sind für den L gedacht, der in der Muttersprache den Bühnenaufbau erklärt und die Durchführung der Theateraufführung erläutert.

AB/Wortliste

• Da nur der Teil A der Theaterlektion obligatorisch ist, der darin enthaltene neue aktive Wortschatz in PLANETINO 2 aber noch einmal eingeführt und geübt wird, bleibt es dem L überlassen, die fehlenden Artikel in die Wortliste (Seite 97) einzutragen.

Feste im Jahr

Hier handelt sich nicht um eine Lektion im eigentlichen Sinne. Die einzelnen Themen haben keine sprachliche Progression und können jeweils bei Bedarf eingesetzt werden. Die Schüler erfahren, was Kinder im deutschsprachigen Raum zu den wichtigen Festen singen und basteln.

Auf methodische Hinweise wird verzichtet. Die Vorgehensweise beim Einführen und Einüben von Liedern und der Umgang mit Bastelanleitungen werden mehrfach in anderen Lektionen dargestellt.

Die landeskundlichen Informationen kann der Lehrer seinen Schülern in der Muttersprache weitergeben.

Sankt Martin Feste im Jahr | S. 85/86

CD3/39   Lied: Ich geh' mit meiner Laterne
CD3/40   Playback

Das Fest Sankt Martin wird am 11. November gefeiert.
Die Legende erzählt:
Martin wurde im Jahre 316 in Ungarn geboren. Er wuchs aber in Italien auf, weil sein Vater römischer Soldat war. Er selbst wurde mit 15 Jahren Soldat und war mit seiner Garnison in Frankreich.
An einem kalten Winterabend sah Martin bei einem Ausritt einen Bettler am Straßenrand, der kaum bekleidet war und deshalb erbärmlich fror. Martin zerteilte mit seinem Schwert seinen Soldatenmantel und gab die Hälfte dem Bettler.
Mit 18 Jahren verließ Martin das Heer und ließ sich taufen. Bald gründete er ein Kloster. Später sollte er zum Bischof von Tours gewählt werden. Er wollte das Amt aber nicht annehmen und versteckte sich. Doch die Gänse, die in der Nähe seines Verstecks waren, schnatterten so laut, dass man ihn fand. Martin willigte ein und wurde Bischof. Sein Leben lang half er den Armen. Er starb im Jahre 397.
Am Martinstag ziehen die Kinder abends mit selbst gebastelten Laternen durch die Stadt und singen Lieder. In manchen Städten gibt es Martinszüge, bei denen Sankt Martin auf seinem Pferd vorausreitet.
In vielen Familien wird am 11. November eine „Martinsgans" gegessen.

Nikolaus Feste im Jahr | S. 87

CD3/41   Lied: Hört doch in den Stuben
CD3/42   Playback

Der 6. Dezember ist Nikolaustag. In den Familien wird aber meistens schon am Abend des 5. Dezember gefeiert. Manchmal kommt der Nikolaus „persönlich" (es ist natürlich ein als Nikolaus verkleideter Erwachsener), lobt brave Kinder und bringt Äpfel, Lebkuchen, Süßigkeiten oder auch kleine Spielsachen. Dann singen ihm die Kinder Nikolauslieder oder sagen Gedichte auf. Viele Kinder stellen am Abend des 5. Dezember einen Stiefel oder einen Teller vor die Tür, den der „Nikolaus" dann über Nacht mit leckeren Sachen füllt.
Der Nikolaus ist entweder als Bischof gekleidet, oder er trägt einen roten Mantel mit weißem Besatz. Immer hat er einen weißen Bart. In verschiedenen Gegenden wird der Nikolaus vom „Knecht Ruprecht" begleitet. Er ist dunkel gekleidet und hat eine Rute für böse Kinder dabei.

Nikolaus lebte im 4. Jahrhundert. Er war Bischof von Myra, einer Stadt in der Türkei. Seine besondere Zuwendung galt den Kindern. Deshalb ist der Nikolaustag auch heute noch ein Fest der Kinder.
Es gibt viele Nikolaus-Legenden. Eine davon erzählt diese Geschichte: Eines Tages hörte Nikolaus von der Not eines armen Mannes. Dessen Frau war schon vor Jahren gestorben. Und da er selbst krank war, wusste er nicht, wie er seine Kinder ernähren und kleiden sollte. Eines Morgens im Winter stand ein großer Sack voll mit Mehl und Brot vor dem Fenster. Endlich konnten sich die Kinder wieder satt essen. Am anderen Morgen stand wieder ein Sack da, diesmal voller Kleidung. In der nächsten Nacht wollten der Vater und die Kinder wach bleiben, um ihrem Wohltäter zu danken, falls er noch einmal kommen sollte. Die Kinder aber schliefen ein, nur der Vater blieb wach. Plötzlich hörte er ein Geräusch, und wieder stand ein Sack vor dem Fenster. Der Vater rannte hinaus, sah den Bischof Nikolaus und dankte ihm herzlich. Zu Hause weckte er die Kinder. Gemeinsam öffneten sie den Sack und fanden diesmal Schuhe darin. Doch als die Kinder die Schuhe anziehen wollten, konnten sie mit ihren Füßen nicht hineinschlüpfen. Denn in den Schuhen steckten die schönsten Dinge: Spielzeug, Nüsse und Äpfel.

Adventsbräuche

Der Advent gilt in Deutschland als die „stille Zeit". Die Familien feiern zu Hause, vor allem an den vier Advents-sonntagen. Fast jede Familie hat einen Adventskranz oder ein Adventsgesteck, auf dem jeden Sonntag eine Kerze mehr angezündet wird. Man trinkt am Nachmittag Kaffee oder Tee und isst Lebkuchen oder selbst gebackene Plätzchen.

Viele Kinder basteln in der Adventszeit Weihnachtssterne für den Christbaum oder als Schmuck in der Wohnung und an den Fenstern. Fast jedes Kind in Deutschland hat im Dezember einen Adventskalender. Es gibt fertige Ka-lender zu kaufen, man kann sie aber auch selbst basteln. Oft machen das die Lehrer mit den Kindern in der Schule. Wichtig ist, dass die Kinder jeden Tag ein „Türchen" aufmachen können, um die Wartezeit bis Weihnachten zu überbrücken. In den „Türchen" finden sie Schokoladenstückchen, Kekse oder auch ganz kleine Spielsachen. Das letzte „Türchen" wird am Morgen des Heiligabend geöffnet.

Weihnachten

CD 3/43	Lied: O Tannenbaum
CD 3/44	Playback
CD 3/45	Lied: Morgen, Kinder, wird's was geben
CD 3/46	Playback

Weihnachten ist das größte Familienfest in Deutschland. Am Nachmittag des 24. Dezember, an „Heiligabend", wird der Christbaum geschmückt. In vielen Familien dürfen die Kinder dabei nicht mithelfen. Denn sie dürfen so lange das Zimmer nicht betreten, bis das „Christkind" gekommen ist. Am frühen Abend findet die Bescherung statt. Oft wird eine Krippe aufgestellt. Geschenke liegen unter dem Christbaum, und die Kerzen am Baum sind angezündet. Die Familie versammelt sich unter dem Christbaum und singt Weihnachtslieder. Dann dürfen die Geschenke ausgepackt werden.

Viele Familien gehen noch am gleichen Abend in die Kirche und nehmen an der „Christmette" teil. Andere gehen am Morgen des ersten Weihnachtsfeiertages, am 25. Dezember, in die Kirche. Nachher trifft sich die ganze Fami-lie zum traditionellen Weihnachtsessen, oft Gans, Ente oder Truthahn.

Die närrische Zeit zwischen dem Dreikönigsfest (6. Januar) und dem Beginn der Fastenzeit (die Fastenzeit beginnt mit dem „Aschermittwoch", sieben Wochen vor Ostern) heißt im Rheinland „Karneval", in Bayern und Österreich „Fasching" und in Südwestdeutschland (in der schwäbischen und badischen Gegend) und in der Nordschweiz „Fastnacht" oder „Fasnet".

Offiziell beginnt zwar der Karneval im November, genau am 11.11. um 11.11 Uhr mit den ersten Karnevals-sitzungen im Rheinland, aber eigentlich gefeiert wird erst im Januar oder Februar.

Der Höhepunkt sind die letzten Tage der närrischen Zeit, je nach Region der „unsinnige Donnerstag", der Fa-schingssonntag oder der „Rosenmontag" mit Umzügen und närrischem Treiben auf der Straße. Viele Leute, vor allem Kinder, sind kostümiert. Viele Kinder dürfen auch zu Hause Faschingspartys feiern und verkleidet in die Schule kommen.

Am Ostersonntagmorgen kommt der „Osterhase": Nester mit bunten Eiern und Schokoladenhasen werden von den Eltern versteckt, meistens im Garten, wenn das Wetter es zulässt. Dann dürfen die Kinder die Osternester suchen. In vielen Familien wird zum Osterfrühstück der Tisch festlich gedeckt und besonders geschmückt: mit einem gro-ßen Osterstrauß mit ausgeblasenen bunten Eiern und oft auch mit Platzdekorationen, z.B. mit „Eierköpfen" aus ausgeblasenen Eiern.

Test zu Lektion 1 und 2

1. Was ist richtig? Mach Kreuzchen. ✗

a) Wir spielen   Fangen. ☐
       Verstecken. ☐
       Tennis. ☒

b) Wir spielen   Memory®. ☐
       Karten. ☐
       Fußball. ☐

c) Wir spielen   Basketball. ☐
       Fangen. ☐
       Tischtennis. ☐

d) Wir spielen   Schwarzer Peter. ☐
       Verstecken. ☐
       Würfeln. ☐

e) Wir spielen   Tennis ☐
       Tischtennis. ☐
       Seilspringen. ☐

4 Punkte

2. Schreib die Zahlen richtig.

eidr   _drei_   3   ierv   _____ ____

eiwz   _____ ____   snei   _____ ____

chess   _____ ____   ffnü   _____ ____

5 Punkte
(bei falscher Schreibung oder falscher Zahl ½ Punkt Abzug)

3. Welche Buchstaben fehlen?

▲ _____allo!

● _____uten Morgen.

▲ Ko_____, wir spielen.

● _____as denn?

▲ Fu_____ball.

● Ach n_____n.

▲ Ich wei_____. Wir spielen _____erstecken.

● Au ja.

4 Punkte
(jeweils ½ Punkt)

4. Schau das Bild genau an. Was sagen die Kinder?

Vera: <u>Komm, wir spielen Tischtennis.</u>

Hannes: _____

Heidi: _____

Susi: _____

Peter: _____

4 Punkte
(bei falscher Schreibung ½ Punkt Abzug)

5. Setz die Wörter ein.

▲ Komm, _____ spielen Karten.

● Ach _____.

▲ _____ Fangen?

● Fangen? Fangen? Ach nein!

▲ Ich _____. Wir spielen _____.

● Au _____.

▲ Also _____!

● Ich habe _____.

▲ Ich _____ fünf. _____!

10 Punkte

Oder
habe
Gewonnen
weiß
wir   los
nein   Würfeln
ja
drei

Gesamt: 27 Punkte

1. Ordne den Dialog. Schreib die Zahlen von 1 bis 7.

_____ Guten Tag, Frau Bäcker.

_____ Wir spielen Basketball.

_____ Ja, klar.

__1__ Hallo, Kinder!

_____ Also los.

_____ Was macht ihr denn da?

_____ Darf ich mitspielen?

6 Punkte

2. Setz ein: *bin – bist – ist – Ist*

▲ Wer _____ das?

● _____ das Pia?

▲ Nein.

● Ich weiß. Das _____ du!

▲ Richtig. Das _____ ich.

4 Punkte

3. Richtig oder falsch? Mach Kreuzchen. ✗

	Richtig	Falsch
Guten Morgen.	☐	☐
Gute Nacht.	☐	☐
Guten Abend.	☐	☐
Guten Tag.	☐	☐
Auf Wiedersehen.	☐	☐

5 Punkte

4. Schreib die Sätze richtig.

a) Günter – das – Ist   _____ ?

b) spielen – Wir – Verstecken   _____ .

c) Darf – mitspielen – ich   _____ ?

d) macht – Was – denn – ihr – da   _____ ?

e) dran – Du – bist   _____ .

5 Punkte

5. Welche Buchstaben fehlen?

▲ Was ma_____t ihr denn da?

● Wir sp_____len … Ratet mal.

▲ W_____rfeln?

● Fal_____.

▲ _____warzer Peter?

● N_____n.

▲ _____as denn?

● Wir machen ni_____ts.

▲ W_____ langweilig.

  Na dann tsch_____s.

● Auf W_____dersehen.

  Gute Na_____t.

6 Punkte
(jeweils ½ Punkt)

6. Frage und Antwort. Was passt? Schreib die Zahlen.

1 Wer ist das?	_____ Du.
2 Wer bist du denn?	_____ Ja, klar.
3 Ist das Tina?	_____ Wir spielen.
4 Wer ist dran?	_1_ Jürgen.
5 Was macht ihr denn?	_____ Nein, Lisa.
6 Darf ich mitspielen?	_____ Ich bin Tina.

5 Punkte

Gesamt: 31 Punkte

Tests

1. Was ist richtig? Mach Kreuzchen. ✗

a) ☐ Wo
   ☐ Woher
   ☐ Wer
   | kommst du denn? – Aus Planetanien.

b) ☐ Wie alt
   ☐ Wer
   ☐ Was
   | ist deine Schwester? – Neun.

c) ☐ Woher
   ☐ Was
   ☐ Wo
   | ist denn dein Bruder? – Hier.

d) Komm, wir spielen. – ☐ Wer
                         ☐ Was
                         ☐ Wie
   | denn?

e) Das ist Planetonio. – ☐ Wo
                          ☐ Was
                          ☐ Wie
   | bitte?

f) ☐ Wo
   ☐ Was
   ☐ Wer
   | macht ihr denn da?

6 Punkte

2. Setz ein: *ich – du – er – sie – wir – ihr*

a) Wo ist denn deine Mutter? – Ach, da ist _____ ja!

b) Wie alt ist dein Bruder? – _____ ist fünfzehn.

c) Möchtest _____ mitspielen? – Nein, _____ habe keine Lust.

d) Was macht _____ denn da? – Ach, _____ spielen Karten.

6 Punkte

3. Welche Buchstaben fehlen?

Das ist m_____n Bruder. Er h_____ßt Jürgen. Er ist dr_____zehn Jahre alt.

Er ist ni_____t nett. Er ist d_____f. Und das ist meine _____wester Pia.

Sie ist n_____n Jahre alt. Wir spielen gern Würfeln und Z_____chnen.

4 Punkte
(jeweils ½ Punkt)

4. Schreib die Zahlen in das Rätsel.

7

11

8

13

12

14

10

9

16

9 Punkte
(bei falscher Schreibung ½ Punkt Abzug)

5. Schau das Bild genau an. Schreib vier Sätze.

FLORIAN

Die Wörter helfen dir

Freund   heißt   alt
nett

Das ist _____

_____

_____

_____

8 Punkte
(2 Punkte je Satz, bei falscher Satzstellung 1 Punkt Abzug; Rechtschreibfehler werden nicht gezählt)

6. Setz die Wörter ein.

▲ Das ist _____ Freundin. Sie _____ Heidi.

● Wo ist denn deine _____ ?

▲ Sie ist _____ da.

● _____ du mitspielen?

▲ Nein, ich habe keine _____ .

Lust   meine
Möchtest   heißt
nicht
Schwester

6 Punkte

Gesamt: 39 Punkte

1. Schreib die Wörter richtig und mach Pfeile. →

Beudrr

eMrttu

_____

aeVrt

_____

_____

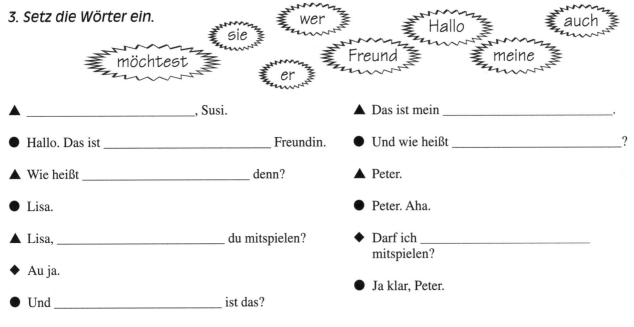

duHn

_____

eerstSchw

_____

aeKzt

_____

6 Punkte
(bei falscher Schreibung oder bei falscher Zuordnung ½ Punkt Abzug)

2. Verbinde die Zahlen mit den Wörtern.

dreizehn	19		20	fünfzehn
siebzehn	13		16	zwanzig
neunzehn	14		18	achtzehn
vierzehn	17		15	sechzehn

4 Punkte
(jeweils ½ Punkt)

3. Setz die Wörter ein.

möchtest · sie · wer · er · Freund · Hallo · meine · auch

▲ _____, Susi.

● Hallo. Das ist _____ Freundin.

▲ Wie heißt _____ denn?

● Lisa.

▲ Lisa, _____ du mitspielen?

◆ Au ja.

● Und _____ ist das?

▲ Das ist mein _____.

● Und wie heißt _____?

▲ Peter.

● Peter. Aha.

◆ Darf ich _____ mitspielen?

● Ja klar, Peter.

8 Punkte

4. Frage und Antwort. Was passt? Schreib die Zahlen.

1 Wer ist das?	_____ Wuffi.
2 Wie alt ist deine Schwester?	_____ Nein, ich habe keine Lust.
3 Wo ist dein Bruder?	_____ Wir spielen Fußball
4 Wie heißt dein Hund?	__1__ Das ist Steffi.
5 Ist das dein Freund?	_____ Elf.
6 Möchtest du mitspielen?	_____ Hier.
7 Was macht ihr denn da?	_____ Ja, das ist Mario.

6 Punkte

5. Welche Buchstaben fehlen?

Meine Fr_____ndin hei_____t. Lisa.   So ein Quat_____!

Sie ist zw_____lf Jahre alt.   Ist das d_____n _____ater?

M_____chtest du mitspielen?   Nein, das ist m_____n Bruder.

W_____rfeln und Zeichnen?   Er ist schon _____wanzig Jahre alt.

5 Punkte
(jeweils ½ Punkt)

6. Setz ein: mein – meine – dein – deine

a) Ist das _____ Bruder? – Nein, das ist _____ Freund.

b) Wie heißt _____ Mutter? – Pia.

   Na so was! _____ Schwester heißt auch Pia.

c) _____ Hund ist drei Jahre alt. Und _____ Katze? –

   _____ Katze ist erst zwei Jahre alt.

7 Punkte

Gesamt: 36 Punkte

Tests

1. Bild und Wort. Was gehört zusammen? Mach Pfeile. →

Stuhl

Fenster

Tafel

Waschbecken

Tür

Tisch

Papierkorb

Schrank

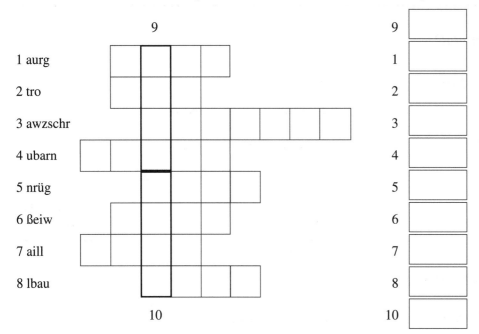

8 Punkte

2. Schreib die Farben richtig ins Kreuzworträtsel und mal die passenden Felder an.

9

1 aurg

2 tro

3 awzschr

4 ubarn

5 nrüg

6 ßeiw

7 aill

8 lbau

10

9
1
2
3
4
5
6
7
8
10

10 Punkte
(bei falscher Schreibung oder bei falschem Ausmalen ½ Punkt Abzug)

3. Welche Buchstaben fehlen?

▲ Wie h_____ßt das?

● Wa_____becken.

▲ Fal_____.

● Ti_____.

▲ Gut.

▲ Und das?

● T_____r.

▲ N_____n.

● _____rank.

▲ Ja. Du bi_____ dran.

4 Punkte
(jeweils ½ Punkt)

4. Schreib die Wörter an die richtige Stelle.

Möchtest du _____?

Möchtest du __tanzen_____?

Möchtest du _____?

Möchtest du _____?

Möchtest du _____?

Möchtest du _____?

lesen
singen
malen tanzen
turnen
schlafen

5 Punkte

5. Setz die Wörter ein.

▲ Kinder, wir _____.

● Ach nein, _____ singen.

▲ Aha. Florian, was _____ du denn?

◆ Ich _____ auch singen.

▲ Also _____. Wir singen.

● Super! Singen macht mir _____.

▲ Simon, was ist denn _____? Wir singen _____.

■ Ich habe keine _____.

möchte
gut   Spaß   jetzt
los   lieber   malen
möchtest   Lust

9 Punkte

6. Ordne den Dialog. Schreib die Zahlen.

__1__ ● Was möchtest du denn machen?

_____ ● Oder Basteln?

_____ ● Möchtest du malen?

_____ ● Was möchtest du denn?

_____ ● Also gut. Wir tanzen.

_____ ▲ Basteln? Ach nein.

_____ ▲ Ich weiß nicht.

_____ ▲ Ich weiß. Ich möchte tanzen.

_____ ▲ Malen! Wie langweilig!

8 Punkte

Gesamt: 44 Punkte

Tests

1. Schreib die Wörter ins Kreuzworträtsel.

10 Punkte
(bei falscher Schreibung ½ Punkt Abzug)

2. Was ist richtig? Mach Kreuzchen. ✗

a) Gib mir bitte ☐ den | Farbstift.
☐ das
☐ die

b) Nimm bitte ☐ den | Blatt.
☐ das
☐ die

c) Gib mir bitte ☐ den | Block.
☐ das
☐ die

d) Nimm bitte ☐ den | Kreide.
☐ das
☐ die

e) Gib mir bitte ☐ den | Heft.
☐ das
☐ die

5 Punkte

3. Welche Sätze passen zusammen? Schreib die Zahlen.

1 Gib mir bitte das Buch.

2 Ich möchte schreiben.

3 Möchtest du turnen?

4 Ich möchte zeichnen.

5 Gib mir bitte die Schere.

_____ Ja, gib mir bitte das Turnzeug.

_____ Hier, nimm den Farbstift.

_____ Möchtest du lesen?

_____ Aha. Du möchtest basteln.

_____ Hier hast du den Füller.

5 Punkte

4. Schreib die Sätze richtig.

a) das – Gib – bitte – mir – Turnzeug

_____ !

b) denn – da – machst – Was – du

_____ ?

c) nicht – möchte – rechnen – Ich

_____ .

d) machen – möchtest – Was – denn – du

_____ ?

e) möchte – spielen – Ich – Fußball

_____ .

5 Punkte

5. Ergänze Frage oder Antwort.

a) Schreibst du? – Nein, ich _____ .

b) _____ ? – Ja, ich tanze.

c) Siehst du fern? – Ja, _____ .

d) _____ ? – Ja, ich schlafe.

e) Bastelst du? – Nein, _____ .

f) _____ ? – Nein, ich lese nicht.

6 Punkte
(½ Punkt Abzug bei falscher Satzstellung)

6. Setz ein: habe – hast – hat – habt

a) Wer _____ das Buch?

b) Jan, _____ du das Buch?

c) Tut mir leid. Ich _____ das Buch nicht.

d) Lisa, Hannes, _____ ihr das Buch?

e) Nein! Heidi _____ das Buch.

5 Punkte

Gesamt: 36 Punkte

1. Schreib die Wörter richtig und mach Pfeile. →

naMtle _____

eilKd _____

Mzteü _____

eitSlef _____

dHme _____

kcoR _____

uchhSe _____

aJeck _____

8 Punkte
(bei falscher Schreibung oder bei falscher Zuordnung ½ Punkt Abzug)

2. Setz ein: *den – das – die*

a) Ich finde _____ T-Shirt super.

b) Wie findest du _____ Hose?

c) Ich möchte _____ Pulli da.

d) Hast du _____ Handschuhe?

e) Möchtest du _____ Schal oder _____ Tuch?

6 Punkte

3. Ordne den Dialog. Schreib die Zahlen von 1 bis 7.

_____ ● Na ja, sie ist ganz nett.

_____ ● Also ich finde den Mantel super.

_____ ▲ Den Mantel finde ich doof. Aber ich finde die Jacke toll.

__1__ ● Wie findest du den Mantel da?

_____ ▲ Den Mantel? Na, ich weiß nicht.

_____ ● Ich möchte lieber den Mantel.

_____ ▲ Nett? Die ist super. Die möchte ich haben.

6 Punkte

4. Welche Buchstaben fehlen?

Se_____ die Mü_____e auf.

Hast du die Hand_____uhe dabei? – Ja klar.

Und _____ieh den Mantel an.

Ich finde den Mantel gar ni_____t sch_____n.

Los, mach den Mantel _____u!

Ich m_____chte aber den Pulli!

4 Punkte
(jeweils ½ Punkt)

5. Was ist richtig? Mach Kreuzchen. ✗

a) Zieh
☐ die Mütze
☐ die Bluse
☐ das Tuch
an.

b) Mach
☐ den Schal
☐ die Jacke
☐ das Tuch
zu.

c) Setz
☐ die Schuhe
☐ die Hose
☐ die Mütze
auf.

d) Zieh
☐ das Hemd
☐ den Schal
☐ die Mütze
aus.

4 Punkte

6. Setz die Wörter ein.

● Tina, _____ du die Schuhe da?

▲ Nein, ich finde die Schuhe _____.

■ Also, ich finde die Schuhe _____ nett.

▲ Mama, Lilly _____ die Schuhe.

● Na gut. Und du?

▲ Ich _____ die Stiefel da.

● Aber du _____ doch schon Stiefel.

▲ Ja, ich _____. Aber …

● Also gut. _____ die Stiefel doch mal an.

möchte
hast
weiß
Zieh
möchtest
ganz
doof
möchte

8 Punkte

Gesamt: 36 Punkte

Tests

1. Schreib die Wörter richtig und ergänze den Text unter den Bildern.

eetHf – sniPle – istrbaetFf – ehuSch – onesH – redleiK

_____drei Schuhe_____   _____   _____

_____   _____   _____

5 Punkte
(bei falscher Schreibung oder bei falscher Zahlenangabe ½ Punkt Abzug)

2. Welche Sätze passen zusammen? Schreib die Zahlen.

1 Wo ist denn mein Pulli?   _____ Hier sind sie doch.

2 Meine Handschuhe sind weg.   _____ Es ist super.

3 Das sind meine Schuhe.   _____ Hier ist sie doch.

4 Wie findest du mein T-Shirt?   _____ Hier ist er doch.

5 Wo ist denn meine Mütze?   _____ Sie sind super.

5 Punkte

3. Welche Buchstaben fehlen?

● Meine Ja_____e ist weg.

▲ H_____r!

● Ach, da ist s_____ ja.

▲ Und das? Ist das dein Ru_____sa_____?

● Ach ja, dan_____e.

  Dein Ro_____ ist aber sch_____n.

▲ Ja? Finde_____ du?

● Ja, blau und wei_____, das ist super.

5 Punkte
(jeweils ½ Punkt)

4. Was ist richtig? Mach Kreuzchen. ✗

a) ☐ Der   Mütze ist doof.
   ☐ Das
   ☐ Die

c) ☐ Der   Handschuhe sind schön.
   ☐ Das
   ☐ Die

b) ☐ Der   Pulli ist von Mama.
   ☐ Das
   ☐ Die

d) ☐ Der   Hemd ist super.
   ☐ Das
   ☐ Die

4 Punkte

5. Mal an und schreib Sätze.

rosa blau gelb grün rot

1. _Das T-Shirt ist rosa._

2. _____

3. _____

4. _____

5. _____

4 Punkte
(bei falschem Anmalen ½ Punkt Abzug)

6. Setz ein: der – das – die – mein – meine – dein – deine

a) ● Wo ist denn nur _____ Schal?   ▲ Hier ist _____ Schal.

   ● Nein, das ist _____ Schal von Julia.

b) ● _____ Schuhe sind weg.   ▲ Sind das _____ Schuhe?

   ● Nein, das sind _____ Schuhe von Jens.

c) ● Hier ist _____ Tuch.   ▲ Das ist nicht _____ Tuch.

   Das ist _____ Tuch von Vera.

9 Punkte

Gesamt: 32 Punkte

Tests

1. Schreib die Wörter ins Kreuzworträtsel.

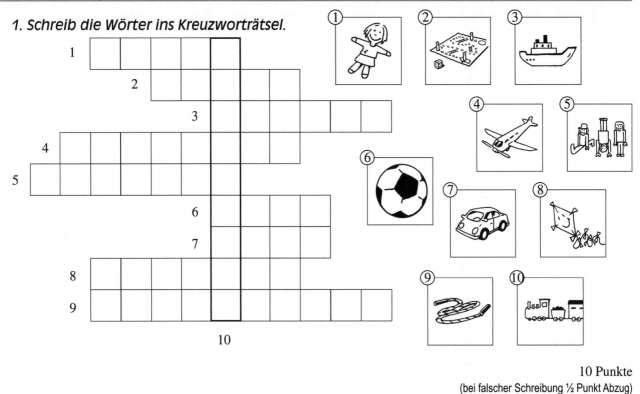

10 Punkte
(bei falscher Schreibung ½ Punkt Abzug)

---

2. Was passt zusammen? Schreib die Zahlen.

1 Wo ist denn nur mein Handy? _____ Mein Pinsel ist weg.

2 Was hast du denn? _____ Nein, die sind doch sauber.

3 Ist dein Handy neu? _____ Hier ist es doch.

4 Warum kannst du nicht malen? _____ Tut mir leid. Ich kann nicht.

5 Kommst du heute? _____ Nein, schon alt.

6 Sind das deine Comics? _____ Ich kann nicht malen.

7 Die Karten sind ja schmutzig. _____ Ach ja. Danke.

7 Punkte

---

3. Ordne den Dialog. Zeichne den Weg ein.

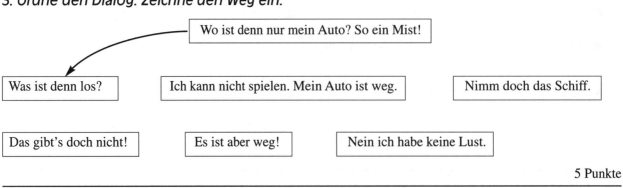

5 Punkte

---

4. Ergänze: *der – das – die* und ein passendes Wort.

a) Ich möchte basteln. Wo ist ___die___ ___Schere___?

b) Ich kann nicht Basketballspielen. _____ _____ ist kaputt.

c) Ich möchte lesen. Wo ist _____ _____?

d) Warum kannst du nicht schreiben? - _____ _____ ist weg.

e) Ich möchte Gitarre spielen. Aber _____ _____ ist kaputt.

f) Komm, wir spielen Schwarzer Peter. Wo sind _____ _____?

5 Punkte

5. Welche Buchstaben fehlen?

Wir spielen heute Fu_____ball. Mö_____test du mitspielen?

Tut mir l_____d. Ich kann ni_____t.

Warum ka_____st du denn nicht mitspielen?

Peter ist da. Wir f_____ren Rad , h_____ren Musik oder spielen Gita_____e.

4 Punkte
(jeweils ½ Punkt)

6. Setz die Wörter ein.

▲ Lea, Meike, wo _____ ihr?

● Hier! Wir _____ hier!

▲ Was _____ ihr denn? _____ ihr Karten?

● Nein. Wir _____ nicht Karten.

Wir _____.

▲ Zeichnen? Super.

● Olaf, _____ du mitmachen?

▲ Ja, gern. Was _____ ihr denn?

● Die Schule.

▲ Die Schule? O je, ich möchte lieber nicht _____.

spielen
möchtest
sind
zeichnen
Spielt
seid
macht
zeichnen
zeichnet

9 Punkte

Gesamt: 40 Punkte

Tests

1. Setz ein: *ein – eine* oder --- (nichts)

a) Was ist das? – _____ Flugzeug.

b) Hier ist _____ Schere.

c) Hast du _____ Filzstifte?

d) _____ Lastwagen ist groß.

e) Das ist _____ Gitarre.

5 Punkte

2. Schreib das Gegenteil.

a) Ein Bär ist klein.   Nein, ein Bär ist _groß_____.

b) Ein Elefant ist dünn.   Nein, ein _____.

c) Eine Eisenbahn ist kurz.   Nein, _____.

d) Eine Maus ist groß.   Nein, _____.

e) Dein Auto ist alt.   Nein, mein _____.

f) Dein Ball ist schmutzig.   Nein, mein _____.

g) Dein Drachen ist kaputt.   Nein, _____.

6 Punkte
(bei falscher Schreibung ½ Punkt Abzug)

3. Was passt zusammen? Schreib die Nummern.

1 Dein Flugzeug ist schön.   _____ Ja, ich spiele Gitarre.

2 Ich habe auch ein Skateboard.   _____ Tennis.

3 Machst du Musik?   _____ Ich höre Musik.

4 Was möchtest du spielen?   _____ Ja, aber es fliegt nicht gut.

5 Was machst du denn?   _____ Super! Dann fahren wir los!

5 Punkte

4. Was ist richtig? Mach Kreuzchen. ✗

a) Laura ☐ lese ☐ liest ☐ lest gern.

d) Wer ☐ schläft? ☐ schlaft ☐ schlafe

b) Die Kinder ☐ haben ☐ hat ☐ habe keine Lust.

e) Jan und Jana ☐ spielen ☐ spielt ☐ spielst

c) Wir ☐ hört ☐ hörst ☐ hören Musik.

5 Punkte

5. Schreib die Fragen.

a) ▲ _Malst du?_ _____? ● Nein, ich male nicht.

b) ▲ _____? ● Ja, ich fahre Skateboard.

c) ▲ _____? ● Nein, ich lese nicht.

d) ▲ _____? ● Nein, ich fliege nicht.

e) ▲ _____? ● Nein, ich schlafe nicht.

f) ▲ _____? ● Ja, ich höre Musik.

5 Punkte

6. Setz die Wörter ein.

● Komm, wir _____ Tischtennis.

▲ _____ Heidi und Hannes auch mit?

● Sie _____ nicht da.

▲ Sie _____ vielleicht.

● Quatsch! Hannes _____ doch jetzt nicht.

▲ Ich weiß! Die zwei _____ Skateboard.

Heidi _____ doch so gern Skateboard.

Und sie _____ gern Tischtennis.

● Na ja. – Los, wir spielen jetzt.

schlafen
schläft
spielen
spielt
fahren
fährt
Machen
sind

8 Punkte

Gesamt: 34 Punkte

Das bin ich

Freie Lösung

1. A) Mathematik, B) Telefon, C) Zoo, D) Zebra, E) Internet, F) Tennis, G) Pullover, H) Supermarkt, I) CD, J) Gitarre, K) Disco

2. 2 Internet / Pullover, 3 Zebra, 4 Pullover / Internet, 5 Supermarkt, 6 Gitarre, 7 Telefon, 8 Tennis

3. CD – Disco – Gitarre – Internet – Mathematik – Pullover – Supermarkt – Telefon – Zoo

4. a) 2 – 3 – 4 – 5 – 6
   b) 9 – neun; 12 – zwölf; 7 – sieben; 11 – elf; 8 – acht
   c) neun – sechs – zwölf – eins – zehn – sieben – fünf – elf – zwei – acht – vier

a) Tennis – Karten – Basketball – Memory – Hallo!
b) *Musterlösung:* zwei – drei – vier – fünf – sechs – sieben – acht – neun – zehn – elf – zwölf

Lektion 1: Komm, wir spielen!

1.

B	A	S	K	E	T	B	A	L	L
1	2	3	4	5	6	7	8	9	10

2. ja – nein – nein – ja

3. Wir spielen Fangen. – Wie spielen Würfeln. – Wir spielen Karten. – Wir spielen Basketball.

4. 1 ● Hallo, Heidi.   ▲ Hallo, Hannes.
   2 ● Komm, wir spielen.   ▲ Was denn?
   3 ● Schwarzer Peter?   ▲ Ach nein.
   4 ● Oder Seilspringen?   ▲ Nein
   5 ● Ich weiß. Basketball.   ▲ Au ja.

5. a) und b) *Freie Übung*

6. a) *Von oben nach unten, links:* Hallo – Heidi – Hallo – Hannes; *rechts:* Hehe – Haha – Hihi.
   b) Hallo Heidi. – Hallo Hannes. – Hihi / Hehe / Haha. – Hihi / Hehe / Haha

7. ▲ Hallo, Hannes.
   ● Guten Morgen.
   ▲ Komm, wir spielen.
   ● Was denn?
   ▲ Fußball.
   ● Ach nein.
   ▲ Ich weiß. Wir spielen Fangen.
   ● Au ja!

Lektion 2: Spiele

1. Seilspringen – Schwarzer Peter – Fußball – Versteckt – Basketball – Memory – Würfeln – Fangen

2. Sieben, acht, neun und was kommt dann? Zehn, elf, zwölf und du bist dran.

3. Ich habe zwei. – Ich habe sechs. Gewonnen!

4. *Der Pfeil zeigt zum Mädchen.*

5. 1 ● Komm, wir spielen Würfeln.
   2 ▲ Au ja.
   3 ● Also los!
   4 ▲ Ich habe zwei. Du bist dran.
   5 ● Ich habe vier. Gewonnen!

6. a) Ich, b) Wir, c) Ich, d) Du, e) Ich, f) Wir

7. Ich w̲eiß. – Komm, w̲ir spielen. – Schw̲arzer Peter – Gew̲onnen! – W̲ürfeln – W̲ir spielen. – W̲as denn? – K̲omm! – K̲inder – K̲arten – Basketball – F̲angen – F̲ußball – f̲ünf – V̲erstecken - v̲ier

Lektion 3: Planetino

1. b) Wer bist du denn? – c) Du bist dran. – d) Du bist Pia. – e) Wer bin ich?

2. a) 2 – 5 – 1 – 7 – 4 – 3 – 6 – 8
   b) *Bild A:* 1 Wer bin ich? – 2 Du bist Florian. – 3 Nein. – 4 Ich weiß. Du bist Pia.
   Bild B: 5 Wer bist du denn? – 6 Ich bin Planetino. – 7 Planetino? – 8 Ja, richtig.

3. a) 1 bist, 2 bin, 3 bist, 4 ist, 5 bist, 6 bin, 7 Ist
   b) 2 B, 3 E, 4 A, 5 D, 6 G, 7 F

4. *Von links nach rechts:* Wer bist du? – Wer bin ich? – Wer ist das?

5. ▲ G̲uten Morgen.
   ● Wer bist d̲u denn?
   ▲ Ich bin J̲ürgen!
   ● Komm, wir spielen F̲ußball.
   ▲ Ach nein. Wir spielen W̲ürfeln.
   ● Ich habe f̲ünf.
   ▲ Jetzt d̲u.
   ● Was?
   ▲ D̲u bist dran.
   ● Ach so

Lektion 4: Guten Tag – Auf Wiedersehen

1. *Von links nach rechts:* Gute Nacht. – Hallo. – Tschüs. – Guten Tag. – Guten Abend. – Guten Morgen. – Auf Wiedersehen.

2.

H	A	LL	O
1	2	3	4

3. a) Wer ist dran? – b) Wir machen nichts. – c) Was macht ihr denn da? – d) Wir spielen Basketball. – e) Darf ich mitspielen?

4. a) 1 Was – 2 Wie – 3 Wer – 4 Was – 5 Wer – 6 Wer
   b)

T	S	C	H	Ü	S
1	2	3	4	5	6

c) *Freie Übung*

5. a) *Bild A:* Hallo, Hannes, hallo, Heidi! Was macht ihr denn da? – Wir spielen. – Was denn? – Memory – Darf ich mitspielen? – Ja, klar.
Bild B: Hallo! Was macht ihr denn da? – Nichts. – Wie bitte? – Nichts. Wir machen nichts. – Wie langweilig. Na dann tschüs.
b) *Freie Übung*

Lektion 1–4: Weißt du das noch?

a) / b) Ach – Basketball – CD – drei – elf – Fußball – Gitarre – Hallo – ich – ja – Komm – los – Morgen – nein – oder – Pullover – richtig – spielen – Tennis – und – Verstecken – wir – zehn
c) Hallo, Pia. Wir spielen Karten. Komm! Florian
d)

X△∷⊖,↑⊖☻+△⊥.
①+∘-∘●⊥X+□∶□▽●
–□↑◎↑●↑□▽▽+⊥.
=⊖77!7△∘-∘△.

Das habe ich gelernt

Lösungsvorschläge s. Randspalte

Grammatik-Comic

1. bin – bist – ist
2. ist – ist – bin – bist

Meine Familie

a) Mama – Papa – Astronaut – Fußballspieler
b) *Freie Übung*

Lektion 5: Meine Mutter

1. A 3; B 1; C 4, D 2

2. a) Wo, b) Wer, c) Woher, d) Was, e) Wie

3. 1 Frau, 2 Woher, 3 bitte, 4 Mutter, 5 nicht, 6 deine
Lösungswort: FREUND

4. a) Das ist meine Mutter. – b) Planetino ist mein Freund. – c) Wer ist das denn? – d) Wo ist denn deine Mutter? – e) Sie ist nicht hier. – f) Ach, da ist sie ja.

5. a)

F	A	N	G	E	N
1	2	3	4	5	6

b) *Freie Übung*

Lektion 6: Meine Geschwister

1. Hallo, Steffi. – Planetino, das ist meine Schwester Eva. – Möchtest du mitspielen? – Was denn? – Würfeln und Zeichnen – Au ja, aber mit zwei Würfeln. – Super! Bis zwölf.

2. elf, zwölf, neun, elf, sieben

3. a)

b) *Freie Übung*

4. Wo ist Steffi? – Sie <u>ist nicht da</u>.
Wo ist Eva? – <u>Sie ist nicht da</u>.
Wo ist Planetino? – Da <u>ist er (ja)</u>!

5.

1	2	3	4		
3 +	5 +	6 +	2 =		16

6. a) Sie heißt Lisa. – Er heißt Jürgen. – Sie heißt Pia. – Er heißt Florian.
b) Sie ist zehn Jahre alt. – Sie ist neun Jahre alt. – Er ist dreizehn Jahre alt.

7. a) 1 — **EI** N S
b) 1+1 — Z W **EI**
c) 1+2 — D R **EI**
d) Er — H **EI** ß T — Arno.
e) Ich — W **EI** ß
f) Das ist — M **EI** N E — Mutter.
g) Ist das — D **EI** N — Bruder?
h) Ich habe — K **EI** N E — Lust.
i) Ich darf — Z **EI** C H N E N
j) 1+2 = 5 — N **EI** N — Falsch!

8. a) *Musterlösung:* ... Wie heißt dein Bruder? Ist er nett? Wie alt ist er? Wer ist dein Freund? Tschüs. Bis bald. Dein/e ...
b) *Freie Übung*

Lektion 7: Mein Vater

1. ... Vater, ... Mutter, ... mein Bruder, ... meine Schwester, ... mein Freund

2. *Das ist eine Katze.*

3. a) 15 – fünfzehn; 12 – zwölf; 18 – achtzehn; 16 – sechzehn; 13 – dreizehn; 11 – elf; 14 – vierzehn; 17 – siebzehn; 19 – neunzehn; 10 – zehn
b) ... zwölf – achtzehn – sechzehn – dreizehn – elf – vierzehn – siebzehn – neunzehn – zehn

4. Hallo, ich bin Eva.
Das ist <u>meine</u> Mutter. Und das ist <u>mein</u> Vater.
Das da ist <u>meine</u> Schwester. <u>Sie</u> heißt Steffi.
Und das ist mein <u>Bruder</u>.
Er <u>heißt</u> Arno.
Er <u>ist</u> fünfzehn.
Das ist <u>mein</u> Hund.
<u>Er</u> heißt Axel.
Und das ist meine Katze.
<u>Sie heißt</u> Mischa.

Lektion 8: Meine Freunde

1. a: 6; b: 5; c: 3; d: 7; e: 2; f: 1; g: 4; h: 8

2. Das ist wohl <u>dein</u> Bruder.
Nein, das ist doch nicht <u>mein</u> Bruder. Das ist <u>meine</u> Schwester.
Ist das auch <u>deine</u> Schwester?
Nein, das ist <u>meine</u> Mutter.
Und das? Ist das <u>dein</u> Vater?
Ja. Er ist Astronaut.

3. Guten M<u>o</u>rgen, Frau H<u>ö</u>rmann.
Hall<u>o</u>.
K<u>o</u>mm rein!
W<u>o</u>her k<u>o</u>mmst du denn?
M<u>ö</u>chtest du mitspielen?
Als<u>o</u> l<u>o</u>s!
Ich habe zw<u>ö</u>lf.
Ich habe gew<u>o</u>nnen.
Sch<u>ö</u>n.

Lektion 5–8: Weißt du das noch?

1. a) Gitarre – Tennis – Freund – Quatsch – Hund – Tag – Bruder – Schwester – Jahre – Lust – Nacht – Katze
b) Guten <u>Tag</u>! Komm, wir spielen <u>Tennis</u>. – Ich habe keine <u>Lust</u>.

Ist das dein <u>Bruder / Freund</u>? – Das ist mein <u>Freund / Bruder</u>.
Wie alt ist deine <u>Schwester</u>? – Siebzehn.

Meine <u>Katze</u> ist vier <u>Jahre</u> alt.
Mein <u>Hund</u> ist schon zwölf.

Möchtest du <u>Gitarre</u> spielen?
So ein <u>Quatsch</u>!
Gute <u>Nacht</u>.

2. a) 1 <u>Katze</u> – 2 <u>Hund</u> – 3 <u>Freundin</u> – 4 <u>Bruder</u> Schwester – 5 <u>Herr</u> ... – 6 <u>Frau</u>
b) *Freie Übung*

Das habe ich gelernt

Lösungsvorschläge s. Randspalte

Grammatik-Comic

1.

mein	Vater	mein	Kind	meine	Mutter
dein	Vater	dein	Kind	deine	Mutter

2. Mein – meine – deine – dein – mein

Schule

Freie Übung

Lektion 9: Meine Klasse

1. a) 1 Stuhl, 2 Waschbecken, 3 Tür, 4 Tafel, 5 Fenster, 6 Papierkorb
Lösungswort: SCHRANK
b) *Von oben nach unten, links:* 1 – 3 – 2; *rechts:* 5 – 4 – 7 – 6

2. a) Ich habe zwei <u>Geschwister</u>. Sch<u>au</u> mal.
Das ist mein Bruder. Das ist meine Sch<u>w</u>ester.
Sie ist aber schön! – So ein <u>Qua</u>tsch. – Na dann <u>t</u>schüs.
b) Was ist das? Ratet mal. – <u>Schule</u>? – <u>Fa</u>lsch.
Tisch? – <u>Fa</u>lsch. – Schrank?
– <u>Fa</u>lsch – <u>Wa</u>schbecken?
– Richtig. – Das ist aber sch<u>w</u>er!

3. *Freie Übung*
4. *Freie Übung*
5. *Von links nach rechts, oben:* blau, gelb, grün, braun, grau; *unten:* rot, weiß, lila, schwarz, rosa

Lektion 10: Im Unterricht

1. a) ...basteln, b) ... lesen, c) ... zeichnen, d) ... malen, e) ... tanzen

2. a) *Von oben nach unten, links:* Möchtest du schreiben? – Möchtest du singen? – *Rechts:* Möchtest du schlafen? – Möchtest du turnen? – Möchtest du rechnen?
b) *Freie Aufgabe*

3. Komm, wir tanzen. – Nein, ich habe keine Lust. – Möchtest du lesen? – Ach nein. – Was möchtest du denn machen? – Ich weiß nicht. – Möchtest du basteln? – Nein, lieber malen. – Also los! – Darf ich auch malen? – Ja, gern.

4. a) möchtest – möchte; b) Möchtest; c) Möchtest – möchte; d) möchte – möchtest

Lektion 11: Meine Schulsachen

1. *Selbstkontrolle*

2. a)

M	G	H	V	O	B	J	R	U	C	K	S	A	C	K
T	A	F	E	L	L	B	L	O	C	K	P	P	X	N
A	R	A	D	I	E	R	G	U	M	M	I	Y	I	Z
S	W	R	P	N	I	S	B	L	A	T	T	O	B	Ä
C	K	B	I	E	S	Q	T	U	R	N	Z	E	U	G
H	R	S	N	A	T	S	C	H	E	R	E	H	C	H
E	E	T	S	L	I	F	Ü	L	L	E	R	E	H	W
Y	I	I	E	Z	F	I	L	Z	S	T	I	F	T	O
U	D	F	L	P	T	M	A	L	K	A	S	T	E	N
Ö	E	T	M	Ä	P	P	C	H	E	N	J	Ü	D	C

b) Radiergummi – Schere – Füller – Filzstift – Farbstift – Lineal – Spitzer – Bleistift

3. Komm, w<u>i</u>r sp<u>ie</u>len Würfeln. – Also l<u>o</u>s! – Ich habe s<u>ie</u>ben. – Ich habe v<u>ie</u>r.
W<u>e</u>r ist das? Mein Bru<u>d</u>er. <u>E</u>r ist z<u>e</u>hn J<u>a</u>hre alt. Und <u>e</u>r ist doof.
Guten <u>A</u>bend. – G<u>u</u>ten <u>A</u>bend? Nein, g<u>u</u>ten Tag! – Ach ja!
W<u>o</u> ist denn meine Schere? – Ist das deine Sch<u>e</u>re? – Nein, meine Sch<u>e</u>re ist r<u>o</u>t.
Möchtest d<u>u</u> Fu<u>ß</u>ball spielen? – Nein, ich möchte schl<u>a</u>fen. – Ach s<u>o</u>!
Ich möchte l<u>e</u>sen. – H<u>ie</u>r ist dein B<u>u</u>ch.
W<u>o</u> ist denn mein M<u>a</u>lkasten? Ich möchte m<u>a</u>len.

4. a) *Freie Übung*
b)

Gib mir bitte		
den	das	die
Block	Blatt	Schere
Pinsel	Turnzeug	Tafel
Bleistift	Mäppchen	Tasche
Spitzer	Heft	Kreide
Filzstift	Lineal	
Füller	Buch	
Farbstift		
Radiergummi		
Rucksack		
Malkasten		

c) *Freie Übung*

5. a) 2 Ja, gib mir bitte die Schere. – 3 Das Turnzeug? Die Tasche auch? Hier bitte. – 4 Ja, gib mir bitte das Heft und den Füller. – 5 Ach, du möchtest malen. Hier bitte.
b) *Freie Aufgabe*

6. a) Bleistift – Lineal – Mäppchen – Block – Pinsel – Turnzeug – Filzstift – Blatt – Spitzer – Farbstift – Radiergummi – Schere – Buch – Malkasten – Füller – ~~Tür~~ – ~~Stuhl~~ – ~~Tisch~~ – ~~Fenster~~ – ~~Papierkorb~~ – ~~Fußball~~ –
b) *Freie Übung*
c) *Freie Übung*

7. Hast du das Heft? – Nein, ich habe <u>den Block.</u>
Hast du <u>den Bleistift</u>? – Nein, ich <u>habe die Schere.</u>
Hast du <u>den Pinsel</u>? – Nein, <u>ich habe das Lineal.</u>
<u>Hast du die Tasche</u>? – <u>Nein , ich habe den Rucksack.</u>

Lektion 12: Was möchtest du machen?

1. a) 1 hat – hast – habe; 2 hast – hat – hast – hat – habe – hat; 3 hat – hast
b) 3 – 1 – 2

2. a) *Musterlösung:*
♦ Kinder, wo seid ihr?   ● Hier.
♦ Wir rechnen. Habt ihr Lust?   ● Au ja.
♦ Habt ihr den Malkasten dabei?   ● Ja.
♦ Habt ihr auch den Pinsel und den Block dabei?   ● Ja, klar.
♦ Also los!

b)
♦ Kinder, wo seid ihr?   ● Hier.
♦ Wir malen. Habt ihr Lust?   ● Au ja.
♦ Habt ihr den Malkasten dabei?   ● Ja.
♦ Habt ihr auch den Pinsel und den Block dabei?   ● Ja, klar.
♦ Also los!

3. <u>Den Füller? Na gut.</u> – <u>Eva hat das Lineal.</u> – <u>Hier hast du das Buch.</u> – <u>Nein, ich möchte den Füller.</u>

4. a) Liest du? – Nein, ich lese nicht. – Siehst du fern? – Ja, ich sehe fern. – Schreibst du? – Ja, ich schreibe. – Rechnest du? – Nein, ich rechne nicht. – Malst du? – Nein, ich male nicht. – Bastelst du? – Ja, ich bastle. – Tanzt du? – Nein, ich tanze nicht.
b) *Freie Übung*

5. a: 2; b: 1; c: 8; d: 4; e: 3; f: 6; g: 5; h: 7

6. a) / b)

T	5	Malst du?
M	2	Nein, nein, ich lese nicht.
T	7	Ach so?
T	3	Schreibst du?
T	1	Maria, was machst du denn? Liest du?
T	9	He, he, he.
M	6	Ich möchte malen. Aber das geht nicht.
M	4	Nein, ich schreibe nicht.
M	8	Ich habe den Malkasten nicht.
M	10	Tobias, du hast den Malkasten!
T	13	Na gut!
M	12	Tobias, gib mir mal den Malkasten!
T	11	Was? Ich?

7. a) <u>1</u> machst + <u>2</u> Siehst + <u>4</u> Zeichnest + <u>8</u> Hast = **15**
<u>6</u> komme + <u>3</u> sehe + <u>5</u> zeichne + <u>7</u> spielen = **21**
b) *Freie Übung*

Lektion 9–12: Weißt du das noch?

1. a) / b) 1 Was macht ihr denn da? – 2 Wir spielen Verstecken. – 3 Darf ich mitspielen? – 4 Ja, klar.

2. a)

S	C	H	W	A	R	Z	E	R		P	E	T	E	R
1	2	3	4	5	6	7	8			9	10	11	12	

b) *Freie Übung*

Das habe ich gelernt

Lösungsvorschläge siehe Randspalte

Grammatik-Comic

1. Ich habe

den	Bleistift	das	Heft	die	Kreide

2. den – den – die – die – das – das – die – den

Meine Sachen

Freie Aufgabe

Lektion 13: Kleidung

1. a) *Freie Übung*
b) *Selbstkontrolle*

2. a)

S	W	U	J	E	A	N	S	G	H	L	P	Ü	F
T	S	H	I	R	T	X	Q	S	O	H	U	H	Y
Ä	C	M	Ü	T	Z	E	D	N	V	O	L	E	M
T	H	S	J	Z	Ö	P	R	W	B	S	L	M	A
T	U	C	H	G	X	F	O	K	L	E	I	D	N
F	H	H	A	N	D	S	C	H	U	H	E	Z	T
I	E	A	Ü	J	A	C	K	E	S	Q	G	B	E
Y	D	L	Z	I	P	S	T	I	E	F	E	L	L

b) 1 Hose, 2 Schal, 3 Stiefel, 4 Mütze, 5 Mantel, 6 Pulli, 7 T-Shirt, 8 Tuch, 9 Rock, 10 Jeans, 11 Bluse, 12 Kleid, 13 Schuhe, 14 Jacke, 15 Handschuhe, 16 Hemd
c) *Freie Übung*
d) *Freie Übung*

3. a) 1 C; 2 F; 3 H; 4 A; 5 B; 6 G; 7 E; 8 D
b) *Freie Übung*
c) *Freie Übung*

4. *Lösungswort:* <u>HEMD</u> und <u>HOSE</u>

5. a) *Freie Übung*
b)

Ich möchte – Ich habe			
den	das	die	die / zwei / ...
Mantel	Hemd	Mütze	Jeans
Schal	T-Shirt	Bluse	Stiefel
Rock	Tuch	Jacke	Schuhe
Pulli	Kleid	Hose	Handschuhe

c) *Freie Übung*

6. a) *Freie Übung*
b) *Musterlösung:* doof / gar nicht nett / nicht nett...

Lektion 14: Was ziehst du an?

1. a) *Freie Übung*
b) *Musterlösung:* ...Ich möchte den Pulli, den Rock und die Bluse. Und ich möchte das Kleid und die Schuhe.

2. a) / b) / c) / d): *Freie Übung*

3. a) 1 <u>Setz</u> das <u>Z</u>ebra auf. 2 <u>Z</u>ieh den <u>Filzstift</u> an. 3 Ich möchte <u>zeichnen</u>. Gib mir die <u>Mütze</u>! 4 Dein <u>Turnzeug</u> ist gelb und <u>schwarz</u>.
b) 1 Setz die Mütze auf. – 2 Zieh das Turnzeug an. – 3 Ich möchte zeichnen. Gib mir den Filzstift! – 4 Das Zebra ist schwarz und weiß.

4. a) *Von links nach rechts, oben:* 6 – 3 – 7 – 4; *unten:* 5 – 1 – 2
b) <u>Zieh</u> die <u>Jacke</u> an!
<u>Mach</u> die <u>Tür</u> <u>auf</u>! / <u>Setz</u> <u>den</u> <u>Hut</u> <u>auf</u>!
<u>Zieh</u> <u>den</u> <u>Pulli</u> <u>aus</u>!
<u>Mach</u> die <u>Tür</u> <u>auf</u>! / <u>Setz</u> <u>den</u> <u>Hut</u> <u>auf</u>!
b) *Freie Übung*
c) *Freie Übung*

Lektion 15: Hanna und Heike

1. a) / b) *Freie Übung*

2. 1 sie, 2 es, 3 sie, 4 es, 5 Sie, 6 er

3. In Bild B sind acht Farbstifte, vier Hefte, fünf Blätter, sieben Radiergummis, drei Scheren, acht Pinsel, drei Blöcke, vier Bücher und zwei Schuhe.

4.
Spielsachen	Kleidung	Schulsachen
Puppen	Hosen	Hefte
Würfel	Kleider	Blöcke

5. a) 1 Rock, 2 Verstecken, 3 Waschbecken, 4 Jacke, 5 Block, 6 Rucksack
b) *Freie Übung*

6. 1 bist – bin; 2 seid – sind; 3 ist; 4 seid – sind

Lektion 16: Herzlichen Glückwunsch!

1. a) / b) *Freie Übung*

2. 1 dein – der; 2 meine – die; 3 Mein – dein – das; 4 der – mein; 5 deine – meine – Meine – die

3. a)

T	U	R	N	Z	E	U	G
1	2	3	4	5	6	7	8

b) / c) *Freie Übung*

4. ● ... Die Hose ist <u>von Anna</u>.
Die Stiefel <u>sind von Susi</u>.
Der Pulli <u>ist von Laura</u>.
Der Schal <u>ist von Max.</u>
Die Brille <u>ist von Tobias</u>.
Die Handschuhe <u>sind von Paula</u>.
▲ Und <u>die</u> Mütze ist sicher von Mara.
● Nein, nein, das <u>ist meine Mütze</u>.

5. *Freie Übung*

Lektion 13–16: Weißt du das noch?

1. a) Du möchtest malen. b) Du möchtest lesen. c) Du möchtest turnen. d) Du möchtest basteln. e) Du möchtest spielen. f) Du möchtest schreiben.

2. *Musterlösung:*

Familie:	Vater – Mutter – Bruder – Schwester – Papa – Mama ...
Spiele:	Verstecken – Tischtennis – Karten – Memory – Fangen – Würfeln – Fußball – Schwarzer Peter – Seilspringen – Basketball ...
Schulsachen:	Blatt – Block – Füller – Farbstift – Turnzeug – Tasche – Mäppchen – Pinsel – Kreide – Heft – Lineal – Buch – Malkasten – Rucksack – Radiergummi – Filzstift – Spitzer – Schere – Bleistift ...
Kleidung:	T-Shirt – Schal – Mantel – Pulli – Rock – Tuch – Stiefel – Schuh – Mütze – Jeans – Handschuhe – Jacke – Kleid – Hemd – Bluse – Hose ...

Das habe ich gelernt

Lösungsvorschläge siehe Randspalte

Grammatik-Comic

1.

der	Mantel	das	Kleid
<u>Er</u> ist doof.		<u>Es</u> ist doof.	

die	Jacke	die	Schuhe
<u>Sie</u> ist doof.		<u>Sie</u> sind doof.	

2. Die – die – der – der – Der – Er – Das – das – Das – Es - die – die – Die – Sie – Der

Spielen und so weiter

Freie Übung

Lektion 17: Was ist denn los?

1.

B	L	O	C	K
1	2	3	4	5

2. a) *Teil 1:* A – C – B; *Teil 2:* B – C – A; *Teil 3:* A – B – C; *Teil 4:* C – A – B
b) *Dialog A:* Jana, kommst du? – Ich kann jetzt nicht. – Warum denn nicht? – Ich bin noch nicht fertig.
Dialog B: Wir spielen heute Basketball. Spielst du mit? – Tut mir leid. Ich kann heute nicht. – Warum kannst du denn nicht? – Meine Freundin Lara ist da.
Dialog C: Was ist denn los? – Ich kann nicht malen. – Warum kannst du denn nicht malen? – Mein Malkasten ist weg.

3. a) Ich kann heute nicht kommen. b) Warum kannst du denn nicht malen? c) Du kannst jetzt nicht lesen. d) Ich kann heute nicht Tennis spielen.

4. a) <u>7</u> möchte + <u>6</u> zeichnen + <u>1</u> Ich + <u>3</u> sechzehn = **17**
<u>10</u> Möchtest + <u>2</u> rechnen + <u>8</u> nicht + <u>9</u> Mäppchen = **29**
<u>13</u> Sicher + <u>12</u> rechne + <u>5</u> mich + <u>11</u> Bücher + <u>4</u> richtig = **45**

b)

Dialog 1:	Dialog 2:	Dialog 3:
● Ich möchte rechnen. Sechzehn plus drei ist zwanzig. ▲ Das ist nicht richtig. ● Lass mich in Ruhe!	▲ Möchtest du zeichnen? ● Ich möchte schon, aber ich kann nicht. ▲ Warum denn nicht? ● Mein Mäppchen ist weg.	● Möchtest du lesen? Hier sind deine Bücher. ▲ Nein, ich rechne lieber. ● Sicher? ▲ Ja, sicher.

c) *Freie Übung*

5. 1 – 4 – 3 – 2 – 5 – 6 – 8 – 7 – 9 /
1 – 4 – 3 – 2 – 6 – 7 – 5 – 8 – 9
Liebe Tanja,
der Tag heute ist doof. Ich möchte so gern mit Lisa spielen. Aber ich kann nicht. Meine Schwester Lisa ist nicht da. *Ich kann auch nicht Fußball spielen. Meine Freunde sind weg. Mir ist so langweilig. (* oder: Mir ist so langweilig. Ich kann auch nicht Fußball spielen. Meine Freunde sind auch weg. ...) Bis bald.
Deine Lilly

Lektion 18: So viele Sachen!

1. a) *der:* Drachen – Teddybär – Lastwagen – Ball; *das:* Schiff – Flugzeug – Spiel – Auto – Fahrrad – Springseil; *die:* Puppe – Eisenbahn – Gitarre; *Wo sind...?* die Figuren und die Karten
b) / c) *Freie Übung*
d) / e) *Freie Übung*

2. *Von oben nach unten, links:* Udo – Jan – Eva; *rechts:* Arno – Anna – Lisa – Tim

3. 1 Heute ist *. | Sp|o|r|t |
2 Der * ist nett. | Sp|o|r|t|l|e|h|r|e|r |
3 Wir * Fußball. | sp|i|e|l|e|n |
4 Das macht *. | Sp|a|ß |
5 Hier ist der Bleistift.
Aber wo ist der *? | Sp|i|t|z|e|r |
6 Hast du viele *
dabei? | Sp|i|e|l|s|a|c|h|e|n |
7 Nein, nur das * | Sp|r|i|n|g|s|e|i|l |

4. *Pfeile nach rechts:* Sätze 1 – 3 – 4 – 5; *Pfeile nach links:* Sätze 2 – 6

5. a) 1 Hier! Das Hemd ist sauber. 2 Hier! Der ist ganz. 3 Das ist doch super! 4 Ja, klar!
b) *Freie Übung*

6. Heute ist Sport. Ich möchte mitmachen. Meine Turnhose ist neu. Mein T-Shirt ist sauber. Meine Turnschuhe sind ganz. Ich mache mit.

7. Wo ist denn der <u>Füller</u>?
Wo sind <u>denn die Farbstifte</u>?
<u>Wo ist denn die Gitarre</u>?
<u>Wo ist denn das Buch</u>?

3. a)

S	C	H	R	E	I	B	T
1	2	3	4	5	6	7	8

9. *Musterlösung:*
Papa: ... Bastelt ihr?
Kinder: Nein, wir basteln nicht.
Papa: Malt ihr?
Kinder: Nein, wir malen nicht.
Papa: Würfelt ihr?
Kinder: Nein, wir würfeln nicht.
Papa: Was macht ihr dann?
Kinder: Wir sehen fern.

Lektion 19: Hören – spielen – singen

1. a) <u>3</u> + <u>4</u> + <u>1</u> - <u>2</u> = **6**
   A   B   C   D
b) 1 ein, 2 ein, 3 eine
c) *Freie Übung*

2. Das ist ein <u>Drachen</u>. – Das ist <u>ein Flugzeug</u>. – Das ist <u>eine Schere</u>. – Das sind <u>Schuhe</u>.

3. *Musterlösung:*
Lieber Planetino,
das ist doch nicht schwer. Nummer 1 ist ein Auto, Nummer zwei ist eine Katze, Nummer drei sind Inlineskates, Nummer vier ist ein Fahrrad und Nummer fünf ist ein Hund.
Bis bald
Deine Steffi

4. lang – kurz – dick – dünn – groß – klein

5. a) 1 alt, 2 dick, 3 lang, 4 sauber, 5 kaputt, 6 klein
Lösungswort: LINEAL
b) *Freie Übung*

6. 1 ... Nein, hier sind drei Bleistifte.
2 ... Nein, hier ist ein Buch.
3 ... Nein, hier sind fünf Hefte.

Lektion 20: Was machst du gern?

1. Planetino <u>spielt</u>. Die Jungen <u>spielen</u> auch.
Tom <u>schläft</u>. Uli und Theo <u>schlafen</u> nicht.
Pia <u>liest</u>. Eva und Lea <u>lesen</u> auch.
Die Kinder <u>malen</u>. Lisa <u>malt</u> nicht.
Arno <u>hört</u> Musik. Jan und Ulla <u>sehen</u> fern.

2. Heute macht Schule Spaß. Die Schüler turnen. Sie basteln. Sie zeichnen. Sie malen. Sie singen. Sie tanzen. Und sie spielen. Super!

3. Er fliegt. – Sie schreibt. – Sie würfeln. – Er turnt. – Sie hören Musik.

4. a: 2, b: 6, c: 5, d: 3, e: 7, f: 8, g: 4, h: 1

5. a) *Freie Übung*
b)

<u>10</u> hat	<u>3</u> liest	<u>8</u> möchte	<u>13</u> spielen
+ <u>5</u> kommt	+ <u>6</u> machst	+ <u>9</u> möchtest	+ <u>11</u> Spielst
+ <u>4</u> lesen	+ <u>12</u> spielt	+ <u>2</u> sieht fern	+ <u>1</u> macht
+ <u>7</u> basteln			
= **26**	= **21**	= **19**	= **25**

6. 1 lest, 2 höre, 3 schlaft, 4 liest, 5 singt, 6 fliegen, 7 bastle, 8 fährst, 9 rechnen
Lösungswort: SEHEN FERN

Lektion 17–20: Weißt du das noch?

1. a) Wo ist ?

der		das	die
Fußball	Vater	Kind	Mutter
Bruder	Freund	Turnzeug	Schwester
Hund	Stuhl	Waschbecken	Freundin
Schrank	Malkasten	Blatt	Katze
Block	Füller	Lineal	Tafel
Filzstift	Rucksack	Buch	Tür
			Schere

b) *Freie Übung*

2. a)

A blau	B grün	C rot
Hier ist		
ein	ein	eine
Farbstift	Heft	Hose
Pullover	Fenster	Jacke
Pinsel	T-Shirt	Bluse
Bleistift	Mäppchen	Mütze
Tisch	Auto	Tasche
Radiergummi		Schere
Spitzer		Katze

b) / c) *Freie Übung*

Das habe ich gelernt

Lösungsvorschläge siehe Randspalte

Grammatik-Comic

1.

ich	du	er, es, sie
mache	machst	macht
komme	kommst	kommt
möchte	möchtest	möchte

wir	ihr	sie (zwei)
machen	macht	machen
kommen	kommt	kommen
möchten	möchtet	möchten

2. kommt – möchte – machst – macht – machen – macht

Theater: Der König und das Gespenst

1. a) 1 Montag, 2 Dienstag, 3 Mittwoch, 4 Donnerstag,
5 Freitag, 6 Samstag, 7 Sonntag
b) Julia malt am <u>Mittwoch</u>. – Sie bastelt <u>am Montag</u>. – Sie
spielt <u>am Freitag</u> Tennis. – Sie hört <u>am Samstag</u> Musik.
– Sie turnt <u>am Dienstag</u>. – Sie fährt <u>am Donnerstag</u>
Skateboard. – Sie spielt <u>am Sonntag</u> Gitarre.

2. a)

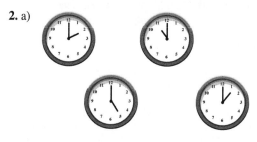

b) Es ist drei Uhr. – Es ist zwölf Uhr. – Es ist acht Uhr.

3. a) <u>1</u> + <u>4</u> + <u>3</u> + <u>2</u> - <u>5</u> + <u>6</u> - <u>8</u> + <u>7</u> = **10**
   a   b   c   d   e   f   g h
b) *Von links nach rechts:* a – e – f – c – g – d – h

4. a) A König, B Königin, D Gespenst
b) *Von oben nach unten, links:* C – B – A – D;
rechts: E – C – E – A + B

5. 1 Es ist zwölf Uhr in der Nacht. 2 Der König kann nicht
mehr schlafen. 3 Er hört „huhu" und „hehe". 4 Um ein Uhr
ist Ruhe. 5 Der Diener weiß: Das ist ein Gespenst. 6 Das
Gespenst kommt immer zur Geisterstunde von zwölf bis
ein Uhr. 7 Der Minister hat eine Idee: Die Geisterstunde
darf es nicht geben. 8 Das Gespenst Wisu kommt wieder in
der Nacht. 9 Aber der Diener stellt um zwölf die Uhr weiter. 10 Und das Gespenst nimmt König Adalberts Sachen.
11 Am nächsten Morgen möchte sich der König anziehen.
12 Aber die Sachen sind weg. 13 Der König, der Minister
und der Diener gehen zu Wisu. 14 Da sind der Mantel, die
Schuhe und die Krone. 15 Der König findet Wisu ganz
nett. 16 Wisu darf am Samstag und Sonntag geistern. 17
Der König und Wisu sind Freunde.

Lesen

1. a) *Freie Übung*
b)

	richtig	falsch
1	X	
2	X	
3		X
4		X

c) *Freie Übung*

2. a) *Freie Übung*
b) Wer ist denn da?
c) ~~Guten Abend.~~ – ~~Ich möchte schlafen.~~ – Darf ich lesen? –
Woher kommst du? - ~~Wer ist das denn?~~ – Hallo. – ~~Wo bist
du denn?~~ – ~~Tschüs!~~ – Komm rein!

3. a) Spielsachen <u>6</u> (Mini-Autos); Schulsachen <u>4</u> (Rucksack);
Sport <u>3</u> und <u>5</u> (Basketball und Skateboard); Lesen <u>2</u> (Fiffi-
Comics)
b) Timo 3; Nina 2; Leyla 4; Bruno 5; Anna 1; Samir 6

Test zu Lektion 1 und 2

1. b) Karten; c) Basketball; d) Würfeln; e) Tischtennis

2. zwei – 2; sechs – 6; vier – 4; eins – 1; fünf – 5

3. ▲ Hallo!
● Guten Morgen.
▲ Komm, wir spielen.
▲ Was denn?
● Fußball.
▲ Ach nein.
● Ich weiß. Wir spielen Verstecken.
▲ Au ja.

4. *Hannes:* Komm, wir spielen Fußball. *Heidi:* ... Karten. *Susi:* ... Fangen. *Peter:* ... Basketball.

5. wir, nein, Oder, weiß, Würfeln, ja, los, drei, habe, Gewonnen

Test zu Lektion 3 und 4

1. 2, 4, 6, 1, 7, 3, 5

2. ist, Ist, bist, bin

3. richtig: 3, 4 – falsch: 1, 2, 5

4. a) Ist das Günter? b) Wir spielen Verstecken. c) Darf ich mitspielen? d) Was macht ihr denn da? e) Du bist dran.

5. ▲ Was macht ihr denn da?
● Wir spielen ... Ratet mal.
▲ Würfeln?
● Falsch.
▲ Schwarzer Peter?
● Nein.
▲ Was denn?
● Wir machen nichts.
▲ Wie langweilig. Na dann tschüs.
● Auf Wiedersehen. Gute Nacht.

6. 4, 6, 5, 1, 3, 2

Test zu Lektion 5 und 6

1. a) Woher; b) Wie alt; c) Wo; d) Was; e) Wie; f) Was

2. a) sie; b) Er; c) du, ich; d) ihr, wir

3. Das ist mein Bruder. Er heißt Jürgen. Er ist dreizehn Jahre alt. Er ist nicht nett. Er ist doof. Und das ist meine Schwester Pia. Sie ist neun Jahre alt. Wir spielen gern Würfeln und Zeichnen.

4. 7 – sieben; 11 – elf; 8 – acht; 13 – dreizehn; 12 – zwölf; 14 – vierzehn; 10 – zehn; 9 – neun; 16 – sechzehn

5. *Beispiel:* Das ist mein Freund. Er heißt Florian. Er ist zehn Jahre alt. Er ist nett.

6. meine, heißt, Schwester, nicht, Möchtest, Lust

Test zu Lektion 7 und 8

1.

Mutter – Bruder – Vater – Hund – Schwester – Katze

2. dreizehn – 13; siebzehn – 17; neunzehn – 19; vierzehn – 14; fünfzehn – 15; zwanzig – 20; achtzehn – 18; sechzehn – 16

3. Hallo, meine, sie, möchtest, wer, Freund, er, auch

4. 4, 6, 7, 1, 2, 3, 5

5. Meine Freundin heißt Lisa. Sie ist zwölf Jahre alt. Möchtest du mitspielen? Würfeln und Zeichnen? So ein Quatsch! Ist das dein Vater? Nein, das ist mein Bruder. Er ist schon zwanzig Jahre alt.

6. a) dein, mein; b) deine, Meine; c) Mein, deine, Meine

Test zu Lektion 9 und 10

1.

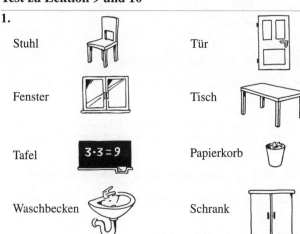

Stuhl – Tür – Fenster – Tisch – Tafel – Papierkorb – Waschbecken – Schrank

2. 1 grau; 2 rot; 3 schwarz; 4 braun; 5 grün; 6 weiß; 7 lila; 8 blau; 9 rosa; 10 gelb

3. Wie heißt das? Waschbecken. Falsch. Tisch. Gut. Und das? Tür. Nein. Schrank. Ja. Du bist dran.

4. tanzen, malen, schlafen, singen, lesen, turnen

5. malen, lieber, möchtest, möchte, gut, Spaß, los, jetzt, Lust

6. 1, 5, 3, 7, 9, 6, 2, 8, 4

Wortliste | Transkriptionen | Lösungsschlüssel | Tests | Feste im Jahr | Theater | L20 L19 L18 L17 Modul 5 | L16 L15 L14 L13 Modul 4 | L12 L11 L10 L9 Modul 3 | L8 L7 L6 L5 Modul 2 | L4 L3 L2 L1 Modul 1 | Start Frei | Einführung

113

Test zu Lektion 11 und 12

1. 1 Mäppchen; 2 Radiergummi; 3 Lineal; 4 Rucksack; 5 Tasche; 6 Bleistift/Farbstift; 7 Spitzer; 8 Schere; 9 Pinsel; 10 Malkasten

2. a) den; b) das; c) den; d) die; e) das

3. 3, 4, 1, 5, 2

4. a) Gib mir bitte das Turnzeug! b) Was machst du denn da? c) Ich möchte nicht rechnen. d) Was möchtest du denn machen? e) Ich möchte Fußball spielen.

5. a) Nein, ich schreibe nicht. b) Tanzt du? c) Ja, ich sehe fern. d) Schläfst du? e) Nein, ich bastle nicht. f) Liest du?

6. a) hat; b) hast; c) habe; d) habt; e) hat

Test zu Lektion 13 und 14

1.

 Mantel,

 Hemd,

 Kleid,

 Rock,

 Mütze,

 Schuhe,

 Stiefel,

 Jacke

2. a) das; b) die; c) den; d) die; e) den, das

3. 4, 5, 2, 3, 1, 7, 6

4. Setz die Mütze auf. Hast du die Handschuhe dabei? – Ja klar. Und zieh den Mantel an. Ich finde den Mantel gar nicht schön. Los, mach den Mantel zu! Ich möchte aber den Pulli!

5. a) die Bluse; b) die Jacke; c) die Mütze; d) das Hemd

6. möchtest, doof, ganz, möchte, möchte, hast, weiß, Zieh

Test zu Lektion 15 und 16

1. acht Farbstifte, zwei Kleider, fünf Pinsel, vier Hosen, sechs Hefte

2. 2, 4, 5, 1, 3

3. ▲ Meine Jacke ist weg.
● Hier!
▲ Ach, da ist sie ja.
● Und das? Ist das dein Rucksack?
▲ Ach ja, danke. Dein Rock ist aber schön.
● Ja? Findest du?
▲ Ja, blau und weiß, das ist super.

4. a) Die; b) Der; c) Die; d) Das

5. 2 Der Mantel ist blau. 3 Die Stiefel sind gelb. 4 Die Hose ist grün. 5 Das Kleid ist rot.

6. a) mein, dein, der; b) Meine, deine, die; c) dein, mein, das

Test zu Lektion 17 und 18

1. 1 Puppe; 2 Spiel; 3 Schiff; 4 Flugzeug; 5 Figuren; 6 Ball; 7 Auto; 8 Drachen; 9 Springseil; 10 Eisenbahn

2. 4, 7, 1, 5, 3, 2, 6

3. Was ist denn los? – Ich kann nicht spielen. Mein Auto ist weg. – Das gibt's doch nicht! – Es ist aber weg! – Nimm doch das Schiff. – Nein ich habe keine Lust.

4. *Beispiel:* b) Der Ball; c) das Buch; d) Der Füller; e) die Gitarre; f) die Karten

5. Wir spielen heute Fußball. Möchtest du mitspielen? Tut mir leid. Ich kann nicht. Warum kannst du denn nicht mitspielen? Peter ist da. Wir fahren Rad, hören Musik oder spielen Gitarre.

6. seid, sind, macht, Spielt, spielen, zeichnen, möchtest, zeichnet, zeichnen

Test zu Lektion 19 und 20

1. a) Ein; b) eine; c) ---; d) Ein; e) eine

2. a) Nein, ein Bär ist groß. b) Nein, ein Elefant ist dick. c) Nein, eine Eisenbahn ist lang. d) Nein, eine Maus ist klein. e) Nein, mein Auto ist neu. f) Nein, mein Ball ist sauber. g) Nein, mein Drachen ist ganz.

3. 3, 4, 5, 1, 2

4. a) liest; b) haben; c) hören; d) schläft?; e) spielen

5. b) Fährst du Skateboard? c) Liest du? d) Fliegst du? e) Schläfst du? f) Hörst du Musik?

6. spielen, Machen, sind, schlafen, schläft, fahren, fährt, spielt

Transkriptionen

der Texte zum Hören und Nachsprechen und der Hörgeschichten

Hinweis: Bei allen Übungen zur Aussprache ist jeweils beim Zeichen ■ eine Pause zum Nachsprechen, Mitmachen, Zeigen oder Klatschen auf der CD. Die Pause kann der Lehrer je nach Bedürfnis der Schüler verlängern, indem er die „Pause"-Taste drückt.

Start Frei

1b
Gitarre ■ Disco ■ Zebra ■ Pullover ■ Mathematik ■ CD ■ Telefon ■ Supermarkt ■ Internet ■ Zoo ■ Tennis

1d
Mathematik ■ Zoo ■ Disco ■ Telefon ■ CD ■ Zebra ■ Supermarkt ■ Internet ■ Pullover ■ Tennis ■ Gitarre

2a
Was ist das? Richtig: Zoo
Was ist das? Richtig: Telefon
Was ist das? Richtig: Disco
Was ist das? Richtig: Supermarkt
Was ist das? Richtig: CD
Was ist das? Richtig: Gitarre
Was ist das? Richtig: Tennis

2b
Kind 1: Ach, ich kann die Aufgabe einfach nicht. Mathematik ist so schwer!
Sprecher: Welches Wort kennst du schon? ■
Richtig: Mathematik

Kind 1: Sag mal, hat das Telefon geläutet?
Kind 2: Ich habe nichts gehört.
Sprecher: Welches Wort kennst du schon? ■
Richtig: Telefon

Und heute wieder Sonderangebote in Ihrem MX-Supermarkt: Karotten, das Kilo nur ein Euro, und an der Fleischtheke finden Sie …
Welches Wort kennst du schon? ■
Richtig: Supermarkt

Kind 1: Kennst du die neue CD von „Tokio Hotel"?
Kind 2: Ja, die ist super.
Sprecher: Welches Wort kennst du schon? ■
Richtig: CD

Kind 1: Der Pullover ist schick. Ist der neu?
Kind 2: Ja, den habe ich gestern erst bekommen.
Welches Wort kennst du schon? ■
Richtig: Pullover

Kind 1: Ach, du hast den Schläger dabei.
Kind 2: Ja, ich spiele nachher Tennis.
Welches Wort kennst du schon? ■
Richtig: Tennis.

Kind 1: Ich bin so gern im Zoo.
Kind 2: Ich auch. Das Zebra da gefällt mir am besten.
Welche Wörter kennst du schon? ■
Richtig: Zoo und Zebra.

Mutter: Tobi, wo bist du denn? Bist du schon wieder im Internet!
Tobi: Ich komme schon, Mama. Ich mache nur den Computer aus.
Sprecher: Welches Wort kennst du schon? ■
Richtig: Internet

6
eins ■ zwei ■ drei ■ vier ■ fünf ■ sechs ■ sieben ■ acht ■ neun ■ zehn ■ elf ■ zwölf ■
drei ■ sieben ■ zwölf ■ eins ■ zehn ■ vier ■ sechs ■ acht ■ elf ■ zwei ■ neun ■ fünf

---

Themenkreis Kennenlernen

Comic 1
Kind: Hallo!
Jugendl.: Guten Abend.
Kind: Guten Abend? Nein, guten Morgen.
Jugendl.: Ach ja, richtig! Guten Morgen.

Comic 2
Junge 1: Gute Nacht.
Junge 2: Gute Nacht. Ch ch ch ch ch (*schnarchen*)
Junge 1: Hallo! Hallo!
Junge 2: (Ch ch ch ch ch)
Junge 1: He, du!
Junge 2: (Ch ch ch ch ch)
Junge 1: Guten Morgen?
Junge 2: (Ch ch ch ch)
Junge 1: (*fröhlich grinsend*) Guten Morgen!
Junge 2: (*erschrocken*) Was? Guten Morgen? Au weia! Schule!
Junge 1: (*zufrieden lächelnd*) Hi, hi, hi. Gute Nacht. (Ch ch ch ch ch)

Lektion 1

2

Seilspringen ■ Tischtennis ■ Verstecken ■ Fangen ■ Fußball ■ Karten ■ Basketball ■ Schwarzer Peter ■ Würfeln ■ Memory®

3a

Seilspringen ■ Fußball ■ Basketball ■ Karten ■ Tischtennis ■ Verstecken ■ Würfeln ■ Memory® ■ Fangen ■ Schwarzer Peter

3b

Fuß-ball ■ Wür-feln ■ Fan-gen ■ Kar-ten ■ Seil-sprin-gen ■ Bas-ket-ball ■ Tisch-ten-nis ■ Me-mo-ry® ■ Ver-ste-cken ■ Schwar-zer-Pe-ter ■ Bas-ket-ball ■ Fan-gen ■ Ver-ste-cken ■ Tisch-ten-nis ■ Fuß-ball ■ Schwar-zer-Pe-ter

6a

Hallo! ■ Hallo! ■ Hallo! ■ Heidi ■ Heidi ■ Heidi ■ Hannes. ■ Hannes. ■Hannes. ■ Hallo, Hannes. ■ Hallo, Heidi. ■ Hahahahahaha ■ hehehehehe ■ hihihihihihi ■ hohohohohoho

Lektion 3

1

Mädchen: Hör mal!
Junge: Was ist das denn?
Mädchen: Ich weiß nicht.
Junge: He, sieh mal! Das ist ja ein Ufo!
Mädchen: Ein Ufo! Komm, wir holen Frau Hübner und den Direktor.
Junge: Nein, warte mal. Die Tür geht auf. Da kommt jemand raus.
Mädchen: Wie sieht der denn aus! Der ist ja ganz blau … und hat Antennen auf dem Kopf. Los, weg hier.
Junge: Der sieht doch ganz nett aus.
Mädchen: Na, ich weiß nicht.
Du, er kommt hierher.
Junge: Hallo!
Planetino: Hüpe küre, süpe türe, wüge, büge, zük?
Mädchen: Wie bitte?
Planetino: Höpe köre, söpe töre, wöge, böge, zök?
Junge: Hä? Ich verstehe nichts.
Planetino: Götön Mörgön. Gütün Mürgün.
Mädchen: Gütün Mürgün. Ah! Jetzt verstehe ich! Guten Morgen.
Planetino: Ach ja, Deutsch. Guten Morgen.
Mädchen: Guten Morgen. Ich bin Steffi.
Junge: Und ich bin Leo.
Planetino: Planetino.
Mädchen: Wie bitte?
Planetino: Ich bin Planetino.
Junge: Hallo, Planetino.
Mädchen: Da kommt auch Frau Hübner.
Junge: Und der Direktor.

Mädchen: Frau Hübner, das ist Planetino. Frau Hübner ist unsere Lehrerin.
Planetino: Guten Morgen, Frau Hübner.
Frau Hübner: Du sprichst ja Deutsch! Hallo, Planetino.
Junge: Und das ist unser Direktor, Herr Schön.
Planetino: Guten Morgen, Herr Schön.
Direktor: Guten Morgen, Planetino.
Junge: Ich hole die Kamera. Wir machen ein Foto.
Mädchen: Au ja.
Junge: Bitte lächeln! Das wird toll.

7a

Tatü ■ tatü ■ tatü ■ Günter! ■ Günter! ■ Günter! ■ Jürgen? ■ Jürgen? ■ Jürgen. ■ Würfeln ■ Würfeln ■ Würfeln ■ Günter, Würfeln. ■ Jürgen, Würfeln.

7c

a) Würfeln – Wirfeln – Würfeln – Würfeln
b) Ginter – Günter – Günter – Günter
c) Jürgen – Jürgen – Jirgen – Jürgen
d) Tatü – Tati – Tatü – Tatü
e) Würfeln – Würfeln – Wirfeln – Würfeln

Lektion 4

1a
Nummer 1
Lehrerin: Der Unterricht ist gleich zu Ende. Also, Auf Wiedersehen.
Kinder: Auf Wiedersehen, Frau Lenz.

Nummer 2
Mädchen: Guten Tag, Frau Müller.
Verkäuferin: Guten Tag, Maria. Na, was darf's denn sein?

Nummer 3
Mutter: Gute Nacht. Schlaf gut.
Kind (gähnt): Gute Nacht.

Nummer 4
Junge: Also tschüs.
mehrere Kinder: Tschüs.
Junge: Tschüs. Bis morgen.

Nummer 5
Mutter: Guten Morgen.
Kind: Guten Morgen.

Nummer 6
Mutter: Schon sieben Uhr. Gleich kommen die Nachrichten.
Nachrichtensprecher: Guten Abend, meine Damen und Herren …

1c

Guten Morgen. ■ Guten Morgen! ■ Guten Tag ■
Guten Abend ■ Guten Abend ■ Tschüs ■ Tschüs! ■
Auf Wiedersehen ■ Auf Wiedersehen ■ Gute Nacht ■
Gute Nacht!

5c

Frau Rot:	Hallo! Was macht ihr denn da?
Kinder:	Wir spielen Fußball.
Frau Rot:	Nein! Nein! Kinder!
Kind 1:	Los, weiter.
Kind 2:	Du bist dran.
Herr Weiß:	Hallo, ihr zwei.
Kinder:	Guten Abend, Herr Weiß.
Herr Weiß:	Darf ich mitspielen?
Kinder:	Ja klar.
Kind 1:	Au weia!
Kind 2:	Auf Wiedersehen, Herr Weiß!
Frau Rot:	Was ist das denn?
Herr Weiß:	Äh. Guten Abend, Frau Rot.
Frau Rot:	Herr Weiß!!!

Themenkreis Meine Familie

Comic 1

Affenkind:	Papa!
Affenmutter:	Das ist doch nicht dein Papa.
Affenkind:	Papa!
Affenmutter:	Nein! Das ist nicht dein Vater.
Affenkind:	Papaaaa!

Comic 2

Maus 1:	Hallo!
Maus 2:	Hallo, Mausi.
Maus 3:	Möchtest du mitspielen?
Maus 1:	Darf mein Freund auch mitspielen?
Maus 2:	Ja klar.
Maus 1:	Jumbo, komm!
Maus 2:	Wer ist das denn?
Maus 1:	Jumbo, mein Freund.
Maus 2:	Ooooo!

Lektion 5

3

Steffi:	Komm, wir spielen.
Planetino:	Prima.
Steffi:	Was möchtest du denn spielen?
Planetino:	Ich weiß nicht.
Steffi:	Was spielt man denn bei euch in Planetanien so?
Planetino:	Hmm … Vielleicht das. Es heißt Zwei plus zwei. Man braucht vier Spieler.
Steffi:	Vier Spieler? Wir sind doch nur zwei.
Planetino:	Ach ja. Dann geht das nicht… Hmm … oder … F ü ß b ü l l!
Steffi:	F ü ß b ü l l? Meinst du Fußball?
Planetino:	Richtig. Fußball.
Steffi:	Was? Ihr spielt Fußball in Planetanien?

Planetino:	Ja klar. Möchtest du Fußball spielen?
Steffi:	Fußball? Jetzt? Nein, ich möchte jetzt nicht Fußball spielen.
Planetino:	Was dann? – Ich hab's. Wir spielen Fangen.
Steffi:	Fangen? Das ist gut. Das kenne ich.
Planetino:	Kennst du auch Ufo fangen?
Steffi:	Ufo fangen? Wie geht das denn?
Planetino:	Also. Man braucht einen Computer und ein Ufo, ein kleines Ufo und nur zwei Spieler.
Steffi:	Computer, Ufo, interessant!
Planetino:	Das geht dann so: Ich habe den Computer und schicke dir das Ufo. Mit dem Computer kann man das Ufo bewegen. Du musst das Ufo fangen, aber nur mit deinen Antennen.
Steffi:	Mit meinen Antennen? Ich habe doch gar keine Antennen.
Planetino:	Ach so. Dann geht das auch nicht.
Steffi:	Weißt du was? Wir spielen wieder Würfeln.
Planetino:	Gute Idee.
Steffi:	Aber diesmal nicht wie in Planetanien.
Planetino:	Einverstanden.
Steffi:	Wir spielen ein anderes Spiel. Es heißt Würfeln und Zeichnen.

5

Übung 1

ei – eins ■ ei – zwei ■ ei – drei ■ iii – sie ■ iii – hier ■
iii – vier ■ h – hier ■ h – habe ■ ch – ich ■ ch – zeichnen ■ ch – nicht

Übung 2

Wer ist das denn? ■ Wer ist das denn? ■ Wer bist du? ■
Wer bist du? ■ Woher kommst du? ■ Woher kommst
du? ■ Wie bitte? ■ Wie bitte? ■ Wo ist denn deine Mutter? ■ Wo ist denn deine Mutter?

Lektion 6

4

Übung 1

h – hier ■ h – habe ■ ch – ich ■ ch – möchtest ■ ch –
zeichnen ■ ch – nicht ■ w – wo ■ w – woher ■ w – was
■ w – würfeln ■ w – gewonnen ■ z – zeichnen ■ z –
zwei ■ z – zwölf

Übung 2

deine Schwester ■ Wo ist denn deine Schwester? ■ Sie
ist nicht hier. ■ Woher kommst du denn? ■ Möchtest du
mitspielen?

7

Übung 1

uuu – Bruder ■ uuu – super ■ ooo – wo ■ ooo – so ■
ooo – los ■ ooo – doof ■ iii – sie ■ iii – wir ■ iii – hier
■ iii – ihr ■ iii – spielen ■ iii – sieben ■ iii – vier ■ aa –
ja ■ aa – da ■ aa – das ■ ee – er ■ ee – wer ■ ee –
woher ■ ee – zehn

Übung 2

zehn ■ elf ■ zwölf ■ dreizehn ■ vierzehn ■ fünfzehn ■
sechzehn ■ sechzehn ■ fünfzehn ■ vierzehn ■ dreizehn

Übung 3

Ich habe keine Lust. ■ So ein Quatsch! ■ Arno ist doof.
■ Wie alt ist er denn? ■ Los weiter! ■ Wer ist dran?

Lektion 7

1a

Eva:	Mach weiter. Planetino, du bist dran.
Planetino:	Fünf – plus fünf ist – zehn!!
	Ich habe ge…
Planetino:	Was ist das denn?
Eva:	Das ist meine Katze.
	Komm, Mischa, komm.
Planetino:	Deine Katze ist aber lieb.
	Wie heißt sie?
Eva:	Mischa.
Planetino:	Hallo Mischa. Komm her.
Planetino:	Au weia!
Steffi:	Was ist denn?
	Das ist doch nur mein Hund.
Planetino:	Ja, aber Hund und Katze?
	In Planetanien ist das …
Steffi:	… ein Problem. Das ist richtig.
	Aber die zwei sind Freunde.
Planetino:	Ach so.
	Wie heißt denn dein Hund?
Steffi:	Axel.
Planetino:	Na, Axel, möchtest du mitspielen?
Eva:	O je!
Planetino:	Was ist denn? Habe ich was Falsches gesagt?
Steffi:	Axel möchte immer mitspielen.
Eva:	Nein, Axel, nein! Gib die Würfel her! Axel!
	Die Würfel sind weg.
Planetino:	Tut mir leid.
Eva:	Das macht doch nichts.
Steffi:	Und was machen wir jetzt?
Eva:	Wir spielen Sitzboogie.
Steffi:	Super!
	Also los!
alle drei:	Eins, zwei, …

1c

Eva:	Steffi, du bist dran. ■
Sprecher:	Falsch. Planetino, du bist dran.
Planetino:	Fünf plus fünf ist zehn. ■
Sprecher:	Richtig.
Planetino:	Deine Katze ist aber doof. ■
Sprecher:	Falsch. Deine Katze ist aber lieb.
Eva:	Meine Katze heißt Mischa. ■
Sprecher:	Richtig.

Steffi:	Mein Hund heißt Eva. ■
Sprecher:	Falsch. Mein Hund heißt Axel.
Steffi:	Axel und Mischa sind Freunde. ■
Sprecher:	Richtig.
Steffi:	Mein Hund möchte immer mitspielen. ■
Sprecher:	Richtig.
Eva:	Die Würfel sind da. ■
Sprecher:	Falsch. Die Würfel sind weg.
Eva:	Wir spielen Sitzboogie. ■
Sprecher:	Richtig.

5
Übung 1

p – Papi ■ p – Planetino ■ h – hallo ■ h – Hund
■ h – Herr ■ h – Hallo, Herr Hörmann ■ k – Katze ■
k – Kinder ■ k – klar ■ k – Karten ■ z – zwanzig ■
z – zwölf ■ z – zehn ■ z – zwei

Übung 2

siebzehn ■ achtzehn ■ neunzehn ■ zwanzig
zwanzig ■ neunzehn ■ achtzehn ■ siebzehn

Übung 3

Wo ist denn dein Vater? ■ Wo ist denn dein Vater? ■
Wo ist denn dein Hund? ■ Wo ist denn dein Hund? ■
Wo ist denn deine Katze? ■ Wo ist denn deine Katze? ■
Was macht ihr denn da? ■ Was macht ihr denn da? ■
Darf ich mitspielen? ■ Darf ich mitspielen?

Lektion 8

6b

Kind 1:	Was macht ihr denn da?
Kind 2:	Wir spielen Fangen.
Kind 1:	Darf ich mitspielen?
Kind 2:	Ja klar.
Kind 1:	Wo ist denn Planetonio?
Kind 2:	Er ist nicht da.
Kind 1:	Planetonio, wo bist du?
Planetonio:	Hallo, hallo.
Kind 1:	Ach, da bist du ja.

7a

törö ■ törö ■ Hör zu ■ Frau Hörmann
■ schön ■ schön ■ schön
töf – töf – töf ■ zwölf ■ zwölf ■ zwölf ■ Möchtest du
mitspielen? ■ Ich möchte Tennis spielen.

Themenkreis Schule

Comic 1

Junge:	Ich möchte ein Foto machen. Darf ich? Danke.
Junge:	Schau mal, das ist meine Klasse.
Mädchen:	Und wer ist das?
Junge:	Meine Lehrerin.

Comic 2

Schwein:	4+3 ..., 4+3 ...
Affe:	Was ist denn los?
Schwein:	O je! Mathematik ist so schwer!
Affe:	Schau mal, das geht so: vier plus drei ... Na?
Schwein:	... ist sieben
Affe:	Richtig. Und jetzt du.
Schwein:	Das geht nicht.

Lektion 9

1

Nummer 1

Mädchen:	Tobias, mach das Fenster zu. Mir ist kalt.
Tobias:	Okay.

Nummer 2

Junge:	He, Teresa. Du musst noch die Tafel sauber machen.
Teresa:	Ich weiß.

Nummer 3

Anna:	Was machst du denn da?
Jan:	Ich suche meinen Würfel.

Nummer 4

Lara:	Wo ist denn Steffi heute?
Paula:	Ich weiß nicht. Sie ist nicht da.

Nummer 5

Tina:	Was macht ihr denn da?
Udo:	Das siehst du doch. Wir spielen Karten.
Tina:	Was jetzt? Vor der Schule?
Alex:	Na und? Hab dich nicht so, Tina.

Nummer 6

Uli:	He, du hast ja deinen Fußball dabei.
Jonas:	Ja, ich habe gleich nach der Schule Fußballtraining.

Nummer 7

Lehrerin:	Guten Morgen, Kinder.
Klasse:	Guten Morgen, Frau Richter.
Lehrerin:	Lea, mach bitte die Tür zu.

Nummer 8

Lehrerin:	Kinder, wir haben einen neuen Schüler. Er heißt Max. Max, das ist deine neue Klasse. Und ich bin deine Lehrerin, Frau Richter.

3a

Geh bitte zur Tür. ■ Geh bitte zum Schrank. ■ Geh bitte zum Fenster. ■ Geh bitte zur Tafel. ■ Geh bitte zum Papierkorb. ■ Geh bitte zum Waschbecken. ■ Geh zum Fenster. ■ Mach bitte das Fenster auf. ■ Mach bitte zu. ■ Geh zum Schrank. ■ Mach bitte auf. ■ Mach bitte den Schrank zu. ■ Geh bitte zur Tür. ■ Mach bitte die Tür zu. ■ Danke. ■ Geh auf deinen Platz.

3b

Tafel – Tafel – Tafel ■ Tür – Tür – Tür ■ Tisch – Tisch – Tisch ■ Fenster – Fenster – Fenster ■ Stuhl – Stuhl – Stuhl ■ Schrank – Schrank – Schrank ■ Waschbecken – Waschbecken – Waschbecken ■ Papierkorb – Papierkorb – Papierkorb

4a

Schule – Schule – Schule ■ Schrank – Schrank – Schrank ■ Tisch … ■ Waschbecken …

Lektion 10

2a

schreiben ■ malen ■ lesen ■ rechnen ■ singen ■ turnen ■ basteln ■ zeichnen ■ tanzen ■ schlafen
basteln ■ lesen ■ zeichnen ■ turnen ■ rechnen ■ schreiben ■ malen ■ schlafen ■ singen ■ tanzen

2b

lesen ■ schreiben ■ rechnen ■ malen ■ zeichnen ■ basteln ■ turnen ■ tanzen ■ singen ■ schlafen

2c

Übung 1

sch – schreiben ■ sch – schlafen ■ s – singen ■ s – lesen ■ z – zeichnen ■ z – tanzen ■ ch – zeichnen ■ ch – rechnen

Übung 2

lesen ■ lesen ■ malen ■ malen ■ rechnen ■ rechnen ■ zeichnen ■ zeichnen ■ turnen ■ turnen ■ singen ■ singen ■ schreiben ■ schreiben ■ schlafen ■ schlafen ■ basteln ■ basteln ■ tanzen ■ tanzen

Lektion 11

1

Mein Bleistift ist rot und schwarz.
Meine Schere ist rosa.
Mein Spitzer ist grau.
Mein Farbstift ist lila.
Meine Tasche ist gelb und grün.
Mein Malkasten ist rot, gelb, blau, grün …
Meine Kreide ist weiß und grün.
Mein Heft ist blau und weiß.
Mein Lineal ist braun.
Mein Buch ist gelb und rot.

3a

Übung 1

Blatt, Block, Bleistift ■ Schere, Spitzer, Schule ■ Filzstift, Füller, Farbstift ■ Tafel, Turnzeug, Tasche ■ Radiergummi und Rucksack ■ Malkasten und Mäppchen ■ Pinsel, Kreide, Heft, Lineal und Buch

Übung 2

Schule, Tafel, Kreide ■ Blatt, Heft, Füller ■ Bleistift, Radiergummi, Spitzer ■ Schere, Lineal ■ Pinsel, Malkasten, Block ■ Filzstift, Farbstift ■ Turnzeug, Buch ■ Tasche, Rucksack, Mäppchen

3b

Farbstift ■ Bleistift ■ Filzstift ■ Schere ■ Spitzer ■ Schule ■ Malkasten ■ Radiergummi ■ Lineal ■ Füller ■ Mäppchen ■ Lineal ■ Pinsel ■ Kreide ■ Rucksack ■ Malkasten ■ Tafel ■ Turnzeug ■ Radiergummi ■ Tasche

4a

aaa ■ Malkasten ■ Tafel ■ Lineal ■ da
eee ■ Schere ■ lesen
iii ■ Radiergummi ■ hier ■ spielen
ooo ■ rot ■ oder
uuu ■ Buch ■ Schule

Lektion 12

1

Nummer 1

Junge: Hast du die Schere?
Mädchen: Ja, ich habe die Schere.

Nummer 2

Mädchen 1: Gib mir bitte den Farbstift.
Mädchen 2: Möchtest du rosa oder rot?
Mädchen 1: Rosa.
Mädchen 2: Hier bitte.
Mädchen 1: Danke.

Nummer 3

Junge: Ich habe den Block nicht dabei.
Mädchen: Hier, nimm das Blatt.

Nummer 4

Lehrerin: Wer hat die Kreide?
Junge: Simon hat die Kreide.

Nummer 5

Mädchen: Ich möchte malen. Aber ich habe nur den Block dabei.
Junge: Hier hast du Pinsel und Malkasten.

Nummer 6

Junge 1: Gib mir bitte blau.
Junge 2: Möchtest du den Filzstift oder den Farbstift?
Junge 1: Den Filzstift.

4b

Ich möchte fernsehen. ■ Ich möchte fernsehen. ■ Fernsehen. So ein Quatsch! ■ Fernsehen. So ein Quatsch! ■ Nein, ich habe keine Lust. ■ Nein, ich habe keine Lust. ■ Schade. Mir ist so langweilig. ■ Schade. Mir ist so langweilig. ■ Fernsehen. Wie doof. ■ Fernsehen. Wie doof. ■ Na gut! ■ Na gut! ■ Wo seid ihr? ■ Wo seid ihr? ■ Habt ihr Lust? ■ Habt ihr Lust? ■ Darf ich auch mitmachen? ■ Darf ich auch mitmachen? ■ Ja sicher. ■ Ja sicher. ■ Also los! ■ Also los!

6a

Tobias: Olaf, liest du? – Nein, ich lese nicht.
Laura: Olaf, schreibst du? – Nein, ich schreibe nicht.
Doris: Olaf, zeichnest du? – Nein, ich zeichne nicht.
Max: Olaf, malst du? – Nein, ich male nicht.
Jana: Olaf, was machst du denn? Schläfst du?
Olaf: Ich? Nein, ich schlafe nicht.

Themenkreis Meine Sachen

Comic 1

Clown 1: Oh! Schön!
Clown 2: He, das ist meine Mütze!
Clown 1: Ich weiß.
Clown 2: Gib her!
Clown 1: Deine Mütze ist sehr schön.
Clown 2: Gib mir sofort die Mütze!
Clown 1: Ja, ja!
Clown 2: Los! Gib sofort her!
Clown 1:: Hier bitte!

Comic 2

Clown 1: He, das ist meine Hose!
Clown 2: Nein, das ist meine Hose.
Clown 1: Gib her, das ist meine Hose.
Clown 2: So ein Quatsch! Das ist meine Hose.
Clown 1: Was machen wir denn jetzt?
Clown 2: Ich habe eine Idee!
Clown 2: Na?
Clown 1: Super!

Lektion 13

1a

Mutter: Also, Lukas und Veronika, wir kaufen euch jetzt ein paar Sachen.
Sohn: Ich möchte jetzt aber nicht einkaufen.
Mutter: Doch, du brauchst dringend ein paar neue Sachen, Mantel, Pulli, Hose, Schuhe, zum Beispiel. Hier im Schaufenster gibt es ganz schöne Sachen. Sieh mal den Mantel da! Der ist doch ganz nett, oder?
Sohn: Den Mantel findest du nett? Den finde ich total doof.
Tochter: Und die Jacke da?
Sohn: Die Jacke finde ich auch doof.
Tochter: Warum denn? Also, ich finde die Jacke ganz nett.

Sohn:	Ich nicht!
Mutter:	Aber die Hose ist doch schön, und das Hemd dazu.
Sohn:	Die Hose finde ich gar nicht schön. Und das Hemd sieht aus wie eine Bluse. Vielleicht soll ich auch noch einen Rock anziehen?
Tochter:	Quatsch! Aber den Rock finde *ich* ganz nett. Den möchte *ich* vielleicht.
Sohn:	Gute Idee! Du bekommst den Rock und die Bluse da. Und wie wär's denn mit dem Kleid? Und das Tuch dazu vielleicht? Wie findest du denn das Kleid und das Tuch?
Tochter:	Das Kleid finde ich ganz schön, und das Tuch auch. Und die Bluse ist auch nicht schlecht.
Sohn:	Na, siehst du! Du gehst mit Mama einkaufen und ich …
Mutter:	Ach, jetzt verstehe ich! Und du gehst Fußball spielen. Nein, nein, mein Lieber. Wir kaufen jetzt für euch beide ein.
Sohn:	Ich habe aber keine Lust.
Mutter:	Du brauchst Schuhe.
Sohn:	Ich möchte aber lieber Stiefel.
Mutter:	Na, ich weiß nicht. Schuhe sind doch besser.
Sohn:	Ich möchte aber Stiefel!
Mutter:	Also gut, Stiefel. Und Hose und Pulli.
Sohn:	Pulli nicht! Aber das T-Shirt da finde ich gut, und die Jeans.
Mutter:	Du hast doch schon Jeans.
Sohn:	Na und? Die Jeans da finde ich super und das T-Shirt auch.
Mutter:	Das Hemd da finde ich noch schöner.
Sohn:	Ich will aber das Hemd nicht!
Mutter:	In Ordnung, die Jeans und das T-Shirt. Aber du brauchst auch noch warme Sachen, Handschuhe, Mütze, Schal und so.
Tochter:	Genau, Handschuhe, Mütze und Schal.
Sohn:	Ja, ja.
Tochter:	Sieh mal, der Schal und die Mütze da passen genau zusammen, und die Handschuhe passen auch dazu. Das ist doch was für dich.
Sohn:	Ach, lass mich doch in Ruhe.
Tochter:	Also, ich möchte den Rock da, die Bluse und … Den Mantel finde ich auch gut.
Sohn:	Weißt du was? Du kannst haben, was du willst, Pulli, das Kleid mit Tuch, Jacke, Hose, Schuhe, Stiefel, ganz egal. Nur schnell! Ich möchte endlich zum Fußball-spielen.

2

Rock ■ Mantel ■ Schal ■ Pulli ■ Hemd ■ Kleid ■ Tuch ■ T-Shirt ■ Bluse ■ Hose ■ Jacke ■ Mütze ■ Schuhe ■ Jeans ■ Stiefel ■ Handschuhe
Rock ■ Kleid ■ Jacke ■ Handschuhe ■ Mantel ■ Tuch ■ Mütze ■ Schuhe ■ Schal ■ T-Shirt ■ Bluse ■ Jeans ■ Pulli ■ Hemd ■ Hose ■ Stiefel

3
Übung 1
Schuhe ■ Hose ■ Tuch ■ Pulli ■ Jeans ■ Jacke ■ T-Shirt ■ Rock ■ Stiefel ■ Mütze ■ Hemd ■ Mantel ■ Handschuhe ■ Bluse ■ Kleid ■ Schal

Übung 2
sch ■ Schal
sch ■ Schuhe
sch ■ Stiefel
sch ■ Handschuhe
sch ■ T-Shirt
h ■ Hemd
h ■ Hose
h ■ Handschuhe
t ■ Tuch
t ■ T-Shirt
p ■ Pulli
k ■ Kleid

Lektion 14

1b

Lilly:	Ich möchte jetzt gehen. Kommst du?
Bastian:	Ja ja.
Lilly:	Hast du alles dabei?
Bastian:	Ja.
Lilly:	Hast du die Schihose an?
Bastian:	Ja klar.
Lilly:	Und die Stiefel?
Bastian:	Ja sicher.
Lilly:	Zieh die Handschuhe an!
Bastian:	Ich habe die Handschuhe schon an.
Lilly:	Mach die Jacke zu!
Bastian:	Ja.
Lilly:	Und setz die Mütze auf!
Bastian:	Lass mich in Ruhe! Hast *du* denn die Schihose an?
Lilly:	Ja klar.
Bastian:	Und die Stiefel?
Lilly:	Ja klar.
Bastian:	Hast du auch die Handschuhe dabei?
Lilly:	Ja sicher!
Bastian:	Und die Mütze?
Lilly:	Ja sicher. – O je!
Bastian:	Was ist denn los?
Lilly:	Ich habe die Schier nicht dabei!

5c
Zieh den Rock an. ■ Zieh den Mantel aus. ■ Setz die Mütze auf. ■ Zieh das Kleid an. ■ Zieh die Stiefel aus. ■ Zieh die Handschuhe aus. ■ Zieh die Hose an. ■ Setz die Mütze auf.

6a
Zieh an! ■ Zieh aus! ■ Setz die Mütze auf. ■ zwei ■ zehn – zwölf – zwanzig ■ zeichnen ■ ich möchte zeichnen ■ tanzen ■ ich möchte tanzen

Lektion 15

3

Heike:	Du, Hanna. Was machst du denn jetzt?
Hanna:	Ich muss nach Hause, Gitarre üben.
Heike:	Schade. Dann kannst du nicht mitkommen. Ich muss nämlich noch ein paar Sachen für die Schule kaufen.
Hanna:	Natürlich komme ich mit!
Heike:	Du musst aber doch Gitarre üben.
Hanna:	Das kann ich auch später machen. Wir gehen doch ins Kaufhaus, oder?
Heike:	Ja klar.
Hanna:	Also los! Es ist ja nicht weit.
Heike:	Da sind wir schon. Kaufhaus Top.
Hanna:	Los, rein!
Heike:	Wo sind denn nur …? Schule, Schule. Wo finde ich nur Sachen für die Schule?
Hanna:	Sieh mal! Da sind Spielsachen. Da gehen wir hin!
Heike:	Hanna! Ich brauche Schulsachen, nicht Spielsachen.
Hanna:	Ich weiß, Heike. Erst kaufst du deine Schulsachen, und nachher gehen wir zu den Spielsachen. Okay?
Heike:	Also gut. – Aber wo gibt es …?
Hanna:	Da drüben gibt es Schulsachen.
Heike:	Ach ja, richtig.

4

Verehrte Kunden. Sonderangebote in unserer Schreibwarenabteilung, alles für die Schule.
Zum Beispiel:
10 Hefte nur 5 Euro
3 Blöcke nur 2 Euro
Blätter, 20 Stück nur ein Euro
Zum Malen, Zeichnen und Basteln
Farbstifte, 10 Farben für 6 Euro
5 Radiergummis nur 2 Euro
6 Pinsel nur 4 Euro
2 Scheren nur 3 Euro
Und nach den Hausaufgaben zum Entspannen öfter mal ein Buch lesen.
Wir haben Bücher, Comics und spannende Geschichten, das Stück nur ein Euro.

5a

Rock ■ Block ■ Rucksack ■ Jacke ■ Waschbecken ■ verstecken ■ Blöcke

Lektion 16

1a

Vater:	Alles Gute zum Geburtstag, Tina.
Alle:	Ja, herzlichen Glückwunsch!
Kati:	Und jetzt die Geschenke.
Alex:	Los, mach auf.
Tina:	Langsam, Alex.
Alex:	Na ja, das ist doch spannend.
Tina:	Schuhe.
Mutter:	Du brauchst doch Schuhe.
Tina:	Ja schon, aber die Schuhe sind schwarz.
Mutter:	Schwarz passt eben zu allem. Blau oder Braun kannst du nicht zu allem anziehen.
Tina:	Na gut, danke.
Alex:	Mach weiter.
Tina:	Hey! Der Rock ist ja super! Rot! Rot ist doch meine Lieblingsfarbe. – Danke, Mama. Danke, Papa!
Vater:	Nun mal langsam. Da ist ja noch was.
Tina:	Okay, also weiter. – Was ist das denn? – Die Jacke ist auch schön…, aber blau. Eigentlich wollte ich ja weiß.
Mutter:	Ja schon, aber Weiß wird so schnell schmutzig.
Tina:	Na gut. Blau ist auch schön. – Und was ist das? – Ein T-Shirt. – Mensch, ist das T-Shirt toll! Und weiß!
Mutter:	Na ja, ein bisschen Weiß muss schon sein.
Vater:	Das passt auch gut zu Rot und Blau.
Tina:	Stimmt. – Jetzt fehlt nur noch …
Kati:	Ein Schal. Mach mal dieses Päckchen auf.
Tina:	Ist das von dir, Kati?
Kati:	Ja.
Tina:	Also, mal sehen. Hey, der Schal ist super! Rot-weiß! Der passt ja genau zum T-Shirt und zum Rock.
Kati:	Eben.
Tina:	Danke, Kati.
Alex:	Und das ist von mir.
Tina:	Oho! Ein Geschenk von meinem Bruder Alex!
Alex:	Mach schon auf!
Tina:	Moment.
Tina:	Oh! – Die Mütze ist ja ganz nett, … aber gelb!
Alex:	Na und? Findest du die Mütze nicht gut?
Tina:	Doch, schon! Aber gelb. Gelb passt gar nicht zu den anderen Sachen.
Kati:	Warum denn nicht?
Mutter:	Setz die Mütze doch mal auf.
Tina:	Hmm, die sieht ganz gut aus. Du hast recht. Warum eigentlich nicht gelb? – Danke, Alex.
Vater:	Na, bist du zufrieden?
Tina:	Und wie!

1b

Sind die Schuhe schwarz oder braun?
■ Richtig. Die Schuhe sind schwarz.
Ist der Rock blau oder rot?
■ Richtig. Der Rock ist rot.
Ist die Jacke blau oder weiß?
■ Richtig. Die Jacke ist blau.
Ist das T-Shirt rot oder weiß?
■ Richtig. Das T-Shirt ist weiß.
Ist der Schal rot oder weiß?
■ Der Schal ist rot und weiß.
Ist die Mütze gelb oder grün?
■ Richtig. Die Mütze ist gelb.

4

Junge:	Was machst du denn?
Mädchen:	Ich denke nach.
Mädchen:	Ich weiß sieben Sachen.
Junge:	Also los!
Mädchen:	Der Rock von Tina ist blau.
	Die Hose von Jan ist braun.
	Das T-Shirt von Ulla ist weiß.
	Die Schuhe von Helga sind auch weiß.
	Die Hose von Meike ist rot.
	Die Mütze von Tobias ist gelb.
Klasse:	Richtig! Bravo!

Themenkreis Spielen

Comic 1

Junge 1:	Wo ist denn der Ball?
Junge 2:	Ach, da ist er ja!
Junge 3:	Hallo, was macht ihr denn da?
Junge 1:	Wir spielen Fußball.
Junge 2:	Möchtest du mitspielen?
Junge 3::	Ja gern.
Junge 1:	Also los!
Junge 3:	Igitt! Der ist ja ganz schmutzig.
Junge 1:	Ach ja?

Comic 2

Junge 1:	Hallo, Jonas! Komm, wir spielen.
Junge 2:	Nein, ich habe jetzt keine Lust.
Junge 1:	Was ist denn das?
Junge 2:	Ein Computerspiel. Es ist neu.
Junge 1:	Und wie geht das?
Junge 2:	Das ist Tom. Er nimmt die Bälle und ich …
Junge 1:	He! Mein Ball!

Lektion 17

3a

ch ■ Ich ■ Ich möchte ■ Ich möchte nicht ■ Ich möchte nicht rechnen. ■ Ich möchte nicht zeichnen. ■ Ich möchte nichts. ■ sechzehn Mäppchen ■ sechzehn Bücher ■ Sicher!

Lektion 18

1

Junge:	Sieh mal, Julia, so tolle Spielsachen.
Mädchen:	Lass mal sehen! Mensch, Fabian. Die Eisenbahn ist super.
Junge:	Ja, die ist wirklich toll. Und das Schiff auch.
Mädchen:	Wie findest du denn das Auto?
Junge:	Na ja, es geht. Der Lastwagen ist besser.
Mädchen:	Ich weiß nicht. Aber das Flugzeug finde ich toll.
Junge:	Das Flugzeug finde ich auch super.
Mädchen:	Och, der Teddybär ist süß.
Junge:	Spielst du noch mit Teddybären?
Mädchen:	Nein, das nicht. Aber ich finde Teddybären so nett.
Junge:	Puppen auch?
Mädchen:	Nicht so, aber die Puppe hier finde ich sehr schön.
Junge:	Ich finde die Figuren interessant. Damit kann man so toll spielen.
Mädchen:	Das macht mir keinen Spaß. Aber ich lese gern Comics und spiele Karten.
Junge:	Also, ich spiele lieber Spiele, so was wie das da. Oder Computerspiele – das da sieht gut aus – oder Gameboy®. Der ist ja toll!
Mädchen:	Das machst du zu Hause. Und was machst du draußen?
Junge:	Ich spiele Ball, vor allem Basketball oder Springseil-Springen.
Mädchen:	O je, das ist ja so anstrengend.
Junge:	Aber Seilspringen macht fit. Das Springseil da sieht gut aus.
Mädchen:	Das kann schon sein, aber ich finde den Drachen viel schöner. Drachen steigen lassen, das macht mir Spaß.
Junge:	Ach, hier gibt es ja auch Inlineskates. Die sind super.
Mädchen:	Das Fahrrad da ist auch toll. Aber mein Fahrrad ist fast so gut.
Junge:	Und das Skateboard!
Mädchen:	Kannst du Skateboard fahren? Ich nicht.
Junge:	Na ja, es geht.
Mädchen:	Sieh mal, da gibt es ja auch Handys und CD-Player.
Junge:	Hast du ein Handy?
Mädchen:	Nein, aber ich möchte das Handy da zum Geburtstag.
Junge:	Ich habe auch bald Geburtstag.
Mädchen:	Was wünschst du dir eigentlich?
Junge:	Ich möchte den MP3-Player da, und … wenn es geht die Gitarre da. Ich liebe Musik.
Mädchen:	Mal sehen, wer was bekommt.

2

Übung 1

Gameboy® ■ Teddybär ■ Ball ■ CD-Player ■ Lastwagen ■ Drachen ■ MP3-Player ■ Schiff ■ Spiel ■ Fahrrad ■ Springseil ■ Skateboard ■ Auto ■ Flugzeug ■ Computerspiel ■ Handy ■ Eisenbahn ■ Puppe ■ Gitarre ■ Figuren ■ Inlineskates ■ Karten ■ Comics
Ball ■ Spiel ■ Auto ■ Puppe ■ Teddybär ■ Gameboy® ■ Fahrrad ■ Flugzeug ■ Karten ■ MP3-Player ■ Drachen ■ Gitarre ■ Schiff ■ Lastwagen ■ Computerspiel ■ Figuren ■ Comics ■ Eisenbahn ■ Skateboard ■ Handy ■ CD-Player ■ Inlineskates ■ Springseil

Übung 2

t ■ Teddybär ■ p ■ Puppe ■ k ■ Karten ■ sch ■ Schiff ■ sch ■ Spiel ■ sch ■ Springseil ■ h ■ Handy

4a

Spiel ■ Spiel ■ spielen ■ spielen ■ Computerspiel ■
Computerspiel ■ Springseil ■ Springseil ■ Sport ■
Sport ■ Sportlehrer ■ Sportlehrer ■ Spaß ■ Spaß

5b

Junge 1:	Komm, wir spielen Karten.
Junge 2:	Die Karten sind ja schmutzig.
Junge 1:	Hier, *die* Karten sind sauber.

Junge 1:	Komm, wir spielen Karten.
Junge 2:	Die Karten sind ja kaputt.
Junge 1:	Hier, *die* Karten sind ganz.

6b

Dialog 1

Mädchen:	Komm, wir spielen Basketball.
Junge:	Igitt, der Ball ist ja schmutzig.
Mädchen:	Hier, *der* Ball ist sauber.

Dialog 2

Mädchen 1:	So ein Mist!
Mädchen 2:	Was ist denn los?
Mädchen 1:	Der Drachen fliegt nicht.
Mädchen 2:	Das gibt's doch nicht.
	Ach, der ist ja kaputt!

Dialog 3

Junge:	Möchtest du Musik hören?
Mädchen:	Ja gern. Aber wie?
Junge:	Hier. Mein CD-Player.
Mädchen:	Ist der neu?
Junge:	Nein, schon total alt.
	Aber das macht doch nichts, oder?

Dialog 4

Junge 1:	Oh, deine Eisenbahn ist aber schön.
	Kann die auch fahren?
Junge 2:	Ja klar. Die ist doch neu.
Junge 1:	Also los!

Lektion 19

1

Was ist das?
Ball ■ Richtig, ein Ball
Schere ■ eine Schere
Würfel ■ ein Würfel
Katze ■ Richtig, eine Katze
Gitarre ■ eine Gitarre
Hund ■ ein Hund
Kinder ■ Kinder
Fahrrad ■ Richtig, ein Fahrrad
Auto ■ ein Auto
Schuhe ■ Schuhe
Handy ■ ein Handy
Inlineskates ■ Richtig, das sind Inlineskates.

4a

Clown 1:	Was ist das denn?
Clown 2:	Ein Bleistift.
Clown 1:	Was? So lang?

Clown 1:	Was ist das denn?
Clown 2:	Ein Stuhl.
Clown 1:	Was? So klein?

Clown 1:	Was ist das denn?
Clown 2:	Eine Schere.
Clown 1:	Was? So groß?

Clown 1:	Was ist das denn?
Clown 2:	Ein Block.
Clown 1:	Was? So dünn?

Clown 2:	Was ist das denn?
Clown 1:	Ein Springseil.
Clown 2:	Was? So kurz?

Lektion 20

1c

1. Was macht die Puppe?
   ■ Sie singt.
2. Was spielt das Flugzeug?
   ■ Das Flugzeug spielt Gitarre.
3. Wer fährt Skateboard?
   ■ Der Teddybär. Der Teddybär fährt Skateboard.
4. Was macht das Auto?
   ■ Es liest.
5. Was malt der Drachen?
   ■ Er malt ein Haus.
6. Warum fliegt die Eisenbahn?
   ■ Sie möchte ein Flugzeug sein.
7. Bastelt der Lastwagen?
   ■ Nein, er hört Musik.
8. Was macht der Ball?
   ■ Er schläft.
9. Was machen die Figuren?
   ■ Sie turnen.
10. Spielen die Inlineskates Tischtennis?
    ■ Nein, sie tanzen.
11. Und was machen die Karten?
    ■ Die Karten machen nichts.

A2 a

Prinz Bernhard: Wir haben jetzt Unterricht.
Prinzessin Ann: Was haben wir denn?
B: Reiten. Heute ist Montag.
Und der Reitlehrer ist so doof.
A: Ach ja, jeden Tag Unterricht.
B: Am Montag Reiten.
A: Am Dienstag Tanzen.
B: Am Mittwoch Gitarre spielen.
A: Am Donnerstag Singen.
B: Am Freitag Tennis spielen.
A: Aber am Samstag: Spielen.
B: Ja, Memory® oder Karten.
A: Und am Sonntag … Schlafen!
A+B: Schön!

A2 b

Montag ■ Dienstag ■ Mittwoch ■ Donnerstag
■ Freitag ■ Samstag ■ Sonntag
Dienstag ■ Donnerstag ■ Montag ■ Mittwoch
■ Samstag ■ Sonntag ■ Freitag

A2 c

Wann reiten Prinz Bernhard und Prinzessin Ann?
■ Richtig. Am Montag.
Wann spielen sie Tennis? ■ Am Freitag.
Wann singen sie? ■ Am Donnerstag.
Wann spielen sie Gitarre? ■ Richtig. Am Mittwoch.
Wann tanzen sie? ■ Am Dienstag.
Wann spielen sie Karten? ■ Am Samstag.
Und wann schlafen sie lang? ■ Richtig. Am Sonntag.

A3 a

(drei Glockenschläge): Wie spät ist es?
■ Es ist drei Uhr. Es ist drei.
(sechs Glockenschläge): Wie spät ist es?
■ Es ist sechs Uhr. Es ist sechs.
(acht Glockenschläge): Wie spät ist es?
■ Es ist acht. Acht Uhr.
(12 Glockenschläge): Wie spät ist es?
■ Es ist zwölf. Zwölf Uhr.
(vier Glockenschläge): Wie spät ist es?
■ Es ist vier Uhr. Es ist vier.
(ein Glockenschlag): Wie spät ist es?
■ Es ist ein Uhr. Es ist eins.

A4 a

Diener: Herr König, Herr König!
König: *(murmelt, grunzt)*
Diener: Herr König, aufstehen! Es ist zehn Uhr.
König: Was? Schon zehn Uhr? Ich bin noch so müde.
Diener: Tut mir leid, Herr König. Zehn Uhr heißt aufstehen. Dann duschen, anziehen … Um elf Uhr gibt es doch schon Frühstück.
König: Ach, jeden Tag schon um elf Uhr frühstükken. Was nehme ich denn heute zum Frühstück? Kaffe oder Tee? Oder vielleicht nur Saft? Und Brötchen oder Kuchen? Ach, es ist alles so schwierig. Und dann kommt auch noch die Arbeit.
Diener: Ja, um 12 Uhr wartet der Minister.
König: Ich weiß. Um 12 Uhr treffe ich den Minister und wir arbeiten.
Diener: Aber nur bis eins. Um ein Uhr gibt es Mittagessen.
König: Ja, ja. Um Punkt ein Uhr Mittagessen. Und um zwei Uhr kann ich endlich wieder ein wenig schlafen.
Diener: Aber nur bis drei.
König: Ich weiß. Um drei Uhr Tennis spielen mit der Königin. Rosmarie ist immer gleich sauer, wenn ich nicht pünktlich um drei Uhr da bin.
Diener: Und nicht vergessen: Um vier Uhr Kaffee trinken!
König: Richtig. Um vier Uhr gibt es Kaffee und Kuchen. Das ist schön. Und um fünf Uhr darf ich endlich reiten. Reiten macht Spaß.
Diener: Und um sechs Uhr …
König: Um sechs Uhr bin ich wieder zurück. Da helfe ich den Kindern Ann und Bernhard bei den Hausaufgaben. Wie jeden Tag.
Diener: Um sieben Uhr gibt es Abendessen!
König: Wie jeden Tag. Und um acht Uhr kommt der Lautenspieler. Da kann ich ein bisschen Musik hören. Das ist so entspannend. Da werde ich immer so schön müde.
Diener: Um neun Uhr ist dann sowieso Zeit, ins Bett zu gehen.
König: Um neun Uhr muss ich ins Bett. Da bin ich todmüde. Als König hat man einfach zu viel zu tun. Nur Stress!

A4 c

Was macht der König um 10 Uhr? ■ Aufstehen.
Was macht der König um 12 Uhr? ■ Den Minister treffen und arbeiten.
Was macht der König um ein Uhr? ■ Mittagessen.
Was macht der König um 4 Uhr? ■ Kaffee trinken.
Was macht der König um 6 Uhr? ■ Ann und Bernhard bei den Hausaufgaben helfen.
Was macht der König um 7 Uhr? ■ Abendessen.
Was macht der König um 9 Uhr? ■ Ins Bett gehen.

C

Diener: Gute Nacht, Herr König. Gute Nacht, Frau Königin.
Minister: Gute Nacht, Herr König. Gute Nacht, Frau Königin.
Prinz Bernhard: Gute Nacht, Mutter. Gute Nacht, Vater.
Prinzessin Ann: Gute Nacht, Papa. Gute Nacht, Mama.
Königin: Gute Nacht, Kinder. Gute Nacht, Adalbert.
König: Gute Nacht. Ch – ch – ch – ch – ch – ch – ch …

Gespenst:	Huhu – hehe – hihi – hoho …
König:	Was ist denn das?
Gespenst:	Huhu – hehe – hihi – hoho …
König:	Ruhe! Ich möchte schlafen.
Gespenst:	Huhu – hehe – hihi.

Playback von Lied 1, Strophe 1

König:	Hier im Schloss ist etwas, das macht in der Nacht huhu, hehe, hihi.
Prinzessin Ann:	Vielleicht ein Vogel?
Prinz Bernhard:	Oder eine Katze?
Königin:	Oder vielleicht ein Hund?
König:	Ach quatsch!
Diener:	Darf ich etwas sagen?
König:	Ja, gern.
Diener:	Das ist sicher ein Gespenst.
König:	Was? Ein Gespenst?
Diener:	Ja. Immer von zwölf bis ein Uhr in der Nacht.
König:	Was? Ein Gespenst hier im Schloss?
Diener:	Ja. Zuerst nur im Turm. Und jetzt wohl auch im Schlafzimmer des Königs. O je!
König:	Kommt das Gespenst jede Nacht?
Diener:	Ja, von zwölf bis eins.
König:	Und ich kann nicht schlafen.
Minister:	Hmm, von zwölf bis eins. Ich verstehe: Geisterstunde.
König:	Was kann ich denn nur machen? Ich brauche doch den Schlaf.
Minister:	Moment, ich habe eine Idee. Die Geisterstunde darf es einfach nicht geben. Dann kann das Gespenst nicht geistern.
König:	Aha! Aber wie?

Playback von Lied 1, Strophe 1

Diener:	Gute Nacht, Herr König.
König:	Gute Nacht. – Ch – ch – ch – ch –ch …
Diener:	So, zwölf Uhr. Und jetzt … schon ein Uhr. Hehehe.

Playback von Lied 1, Strophe 1

Gespenst:	So ein Mist. Na warte! Ah, der Diener ist weg. Und gleich sind deine Sachen auch weg, König Adalbert. Was nehme ich denn mit? Hier, den Mantel, die Schuhe und natürlich die Krone. Hihihi!

Playback von Lied 1, Strophe 1

König:	Diener, ich möchte mich anziehen.
Diener:	Sehr wohl, Herr König. Aber wo sind die Sachen?
König:	Wie? Was? Meine Sachen sind weg?
Diener:	Ja, der Mantel und die Schuhe sind nicht mehr da. Und die Krone ist auch weg.
König:	Das gibt's doch nicht!
König:	Minister, Minister!
Minister:	Ja, Herr König?
König:	Meine Sachen sind weg.
Minister:	Na so was! Moment, ich habe eine Idee: Die Sachen hat sicher das Gespenst im Turm. Auf zum Turm!

Playback von Lied 1, Strophe 1

Minister:	Hier ist ja das Gespenst.
König:	Und da sind auch meine Sachen. Sag mal, du kannst doch nicht einfach meine Sachen nehmen. Wie heißt du eigentlich?
Gespenst:	Wisu.
König:	Ich bin König Adalbert.
Gespenst:	Ich weiß.
König:	Warum nimmst du einfach meine Sachen?
Gespenst:	Ich bin sauer.
König:	Warum denn?
Gespenst:	Von zwölf bis eins ist Geisterstunde. Das ist meine Zeit. Ich bin ein Gespenst. Ich möchte von zwölf bis ein Uhr in der Nacht geistern. Aber dein Diener macht einfach die Geisterstunde weg. Hey, das ist gemein.
König:	Du kannst doch nicht jede Nacht geistern.
Gespenst:	Doch.
König:	Ich habe so viel zu tun. Ich bin am Abend müde und möchte schlafen.
Gespenst:	Ja … was machen wir denn da?
Minister:	Moment, ich habe eine Idee. Am Feitag und am Samstag darf Wisu geistern. Da kann der König ausschlafen.
König:	Richtig.
Minister:	Am Sonntag, am Montag, am Dienstag, am Mittwoch und am Donnerstag ist Ruhe.
König:	Na, Wisu, was sagst du dazu?
Gespenst:	Tja … also gut.
König:	Freunde?
Gespenst:	Freunde.

Playback von Lied 1, Strophe 2

Alphabetische Wortliste

Die Wortliste enthält die Wörter des Kursbuches mit Angabe der Seiten, auf denen sie zum ersten Mal genannt werden. Nomen mit der Angabe (Sg.) verwendet man nur oder meist im Singular. Nomen mit der Angabe (Pl.) verwendet man nur oder meist im Plural. Passiver Wortschatz ist kursiv gesetzt.

A

Abend, der, -e	9
Abendessen, das, -	77
aber	24
Abzählreim, der, -e	13
ach	9
Ach ja!	9
Ach so.	71
acht	7
achtzehn	27
Advent, der (Sg.)	88
Adventskalender, der, -	88
alles	26
alles	56
als	92
Also gut.	15
also	13
alt	25
Alufolie, die	82
am Abend	75
am nächsten Tag	78
am Samstag	75
anderer/es/e	7
anhaben	51
ankleben	86
anmalen	83
Antenne, die, -n	23
Antwort, die, -en	45
antworten	45
anziehen	48
Apfel, der, ∺	87
arbeiten	77
Astronaut, der, -en	30
Au ja!	10
Au weia!	9
auch	21
auf einen Rat hören	75
auf einmal	78
Auf Wiedersehen	17
aufhängen	83
aufhören	78
aufkleben	90
aufmachen	78
aufmalen	91
aufsetzen	51
aufstehen	77
aufstellen	83
aufwachen	78
Auge, das, -n	91
aus	22
ausblasen	92

ausgehen	85
ausschlafen	78
ausschneiden	82
aussehen	26
ausziehen	52
Auto, das, -s	64

B

Baby, das, -s	29
bald	26
Ball, der, ∺e	61
Band, das, ∺er	88
Bart, der, ∺e	87
Basketball (als Spiel)	10
basteln	30
basteln	37
bedeuten	78
bei	26
bekleben	88
bekommen	58
bemalen	88
beste	29
Bett, das, -en	71
Bettdecke, die, -n	83
Bewohner, der, -	78
Bildkarte, die, -n	38
bis	24
bis bald	26
bitte	18
Blatt, das, ∺er	39
blau	36
bleiben	78
Bleistift, der, -e	39
Block, der, ∺e	39
Bluse, die, -n	48
Boden, der, ∺	86
böse werden	78
brauchen	75
braun	36
bravo	58
Brille, die, -n	52
bringen	87
Bruder, der, ∺	25
Bub, der, -en	87
Buch, das, ∺er	39
Buchstabe, der, -n	11
Buchstabenspiel, das, -e	70
Buchstabenspinne, die, -n	6
Bühne, die, -n	83
Bühnenarbeiter, der, -	84
bunt	86

C

CD, die, -s	5
CD-Player, der, -	64
Clown, der, -s	18
cm (Zentimeter, der, -)	89
Comic, der, -s	19
Comic, der, -s	64
Computer, der, -	23
Computerspiel, das, -e	61

D

da	18
dabei sein	71
dabeihaben	42
danke	33
danken	87
dann	42
Darf ich mitspielen?	18
darüberlegen	83
Das geht so: …	33
Das gibt's doch nicht!	62
Das ist gemein.	81
Das macht nichts.	58
Das muss wohl so sein.	69
Das weiß ich noch!	58
das	15
das	40
dazu	58
Decke, die, -n	83
Deckel, der, -	86
dein/deine	21
den	40
denn	10
der	57
Dezember, der (Sg.)	88
Diagonale, die, -n	89
Dialog, der, -e	38
dick	69
die	40
Diener, der, -	75
Dienstag, der, -e	76
Disco, die, -s	5
doch	21
Donnerstag, der, -e	76
doof	25
dort	85
Drachen, der, -	64
Draht, der, ∺e	86
drei	7
dreimal	59

Material:

- zwei Socken (möglichst in verschiedenen Farben)
- zwei Knöpfe
- Wolle oder eine weitere Socke
- Nadel und Faden

Im Lehrwerkservice finden Sie unter
www.hueber.de/planetino/handpuppe
Fotos und eine weitere Bastelanleitung:
für eine Planetino-Handpuppe aus Filz.

So wird's gemacht:

1. Eine Socke von der Spitze her einschneiden.

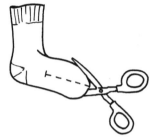

2. Die Spitze einer zweiten (andersfarbigen) Socke abschneiden.

3. Diese Spitze auf beiden Seiten einschneiden.

4. Die Socke und die aufgeschnittene Spitze auf links wenden.

5. Die Spitze in das Maul schieben und rundum festnähen.

6. Die Socke wieder wenden.

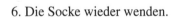

7. Auf die Socke Knöpfe als Augen aufnähen.

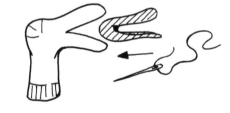

8. Haare aus Wolle oder eine weitere Socke als Ohren annähen.